D0295965

De Olympische Spelen

Notendop junior

Andere titels in de serie **Notendop junior**

*Het weer* – Erwin Kroll
ISBN 90 6494 062 2

*Het zonnestelsel* – Hans van Maanen
ISBN 90 6494 111 4

*De kosmos* – Margriet van der Heijden
ISBN 90 00 03560 0

*Popmuziek* – Hester Carvalho
ISBN 90 00 03586 4

*Religie* – Jan Greven
ISBN 90 6494 063 0

Mart Smeets

# De Olympische Spelen

Notendop junior

Met tekeningen van Elly Hees

Van Goor

Eerste druk juli 2004
Tweede druk augustus 2004

ISBN 90 00 03587 2


Foto auteur C. Barton van Flymen
Vormgeving Elly Hees
www.van-goor.nl

# Inhoud

# De allereerste Olympische Spelen

Vroeger liepen de atleten bij de Olympische Spelen in hun blootje. Hoe lang geleden vroeger is? Geleerden die veel weten van Griekenland en de Oudheid zeggen dat er al Olympische Spelen waren in het jaar 776 voor onze jaartelling. In de echte Oudheid dus.
In Griekenland vochten diverse koningen oorlogen met elkaar uit en eens in de vier jaar werden die oorlogen heel even stilgelegd. Dat was een afspraak en men hield zich daar ook aan; er werd dan niet gevochten, maar aan sport gedaan.
De beste atleten van de kleine landen en koninkrijken kwamen bijeen en gingen wedstrijden met elkaar aan. Wat was een atleet eigenlijk? De naam is afgeleid van koning Aethlius van Elis, precies de omgeving waar de stad Olympia lag. Deze koning kon goed hardlopen en was lenig. Hij was ook sterk en worstelde graag.

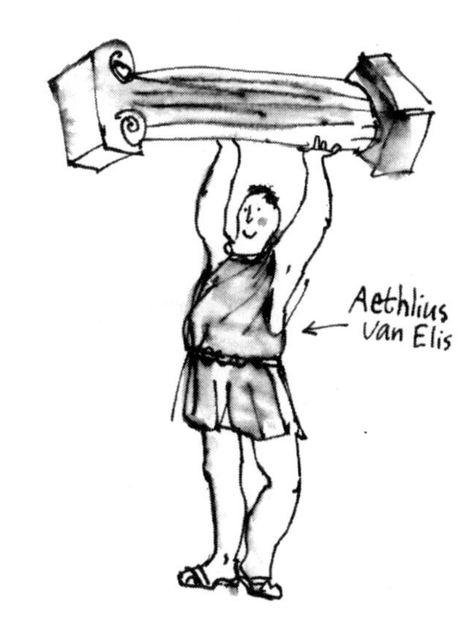

Tijdens de eerste Olympische Spelen werden alleen maar hardloopwedstrijden gehouden. De eerste afstand die in de geschiedenisboeken teruggevonden is, blijkt over 192 meter te zijn gegaan. Die wedstrijd werd de *stadie* genoemd. Later kwamen er hardloopwedstrijden bij over bijna 400 meter en eentje over vierenhalve kilometer. Pas na vijftien Olympische Spelen werden nieuwe onderdelen toegevoegd; als eerste de vijfkamp.

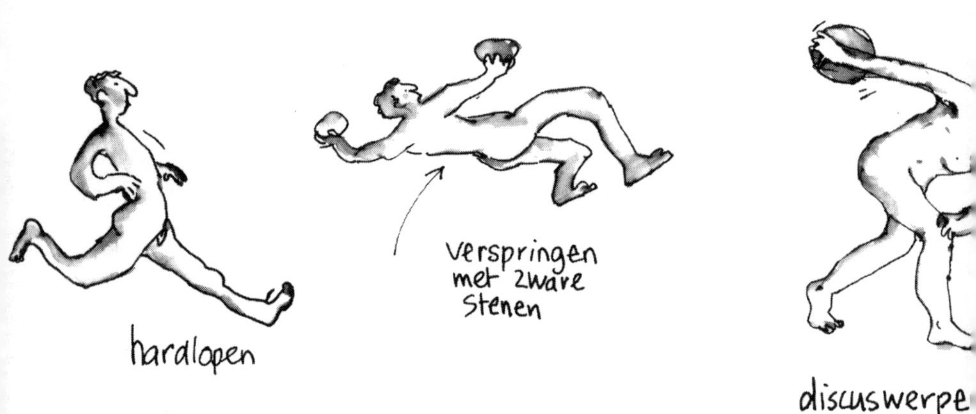


De vijfkamp was eigenlijk een serie wedstrijden achter elkaar, waardoor voor het eerst goed gekeken kon worden naar de echte atleten van die tijd. Wie kon het beste hardlopen, verspringen met zware stenen in iedere hand, worstelen, speerwerpen en discuswerpen? De jonge mannen die zich lieten inschrijven voor de Spelen moesten al die vijf sporten dus goed kunnen.
Voor de winnaar lag een prijs klaar in de vorm van een

krans van olijftakken die hij om het hoofd mocht dragen. In die tijd mochten alleen mannen meedoen; vrouwen mochten niet aan sport doen en zelfs kijken naar hoe mannen hardliepen of met de speer gooiden was niet toegestaan.
Omdat de mensen destijds in lange gewaden liepen en dat onhandig was bij het hardlopen en verspringen, mochten de atleten eerst een klein doekje om de billen en de piemel

dragen, maar na enige tijd besloten de koningen dat helemaal in je blootje aan sport doen toch de mooiste vorm was.
De jonge en sterke mannen waren heel goed gebouwd en men vond het geen probleem dat die kerels hun gespierde lichamen ook toonden als ze met hun sport bezig waren.
Na een aantal jaar werden er meer onderdelen aan de Olympische Spelen toegevoegd. Eerst paardenrennen, waar

vooral de mannen uit de rijke landen en steden goed in waren omdat zij de beste paarden en wagens konden kopen.
Later kwam er boksen bij, een sport die toen *pankration* heette en die eigenlijk meer op heel gemeen worstelen leek. De mannen mochten elkaar tot bloedens toe slaan en op de grond gooien. Het kwam wel eens voor dat de sterkste de ander heel ernstig blesseerde of zelfs doodmaakte.
Er werd gedurende drie dagen aan sport gedaan en er was een openings- en sluitingsfeest, zoals nu nog steeds het geval is.

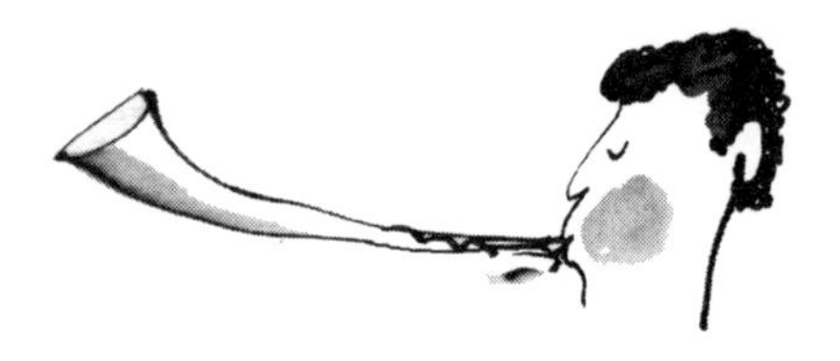

Bij die feesten werd goed gegeten en gedronken en werden gedichten voorgelezen en er werd trompet gespeeld.
Het was belangrijk voor de koningen om bij de Spelen aanwezig te zijn, want dan telde je mee. Als je kon vertellen dat je de reis naar Olympia had gemaakt, werd je voor wereldburger aangezien.
Winnaars kregen destijds geen geld in Olympia, maar al snel vonden ze daar een trucje op: ze lieten zich betalen in hun eigen land of stad. Volgens verhalen werden de winnaars van de Olympische onderdelen heel beroemde mannen die hoog in aanzien stonden bij de gewone mensen. Ze trainden veel, hoefden niet te werken en werden ondersteund door hun vorst of de mensen in hun omgeving. Eigenlijk waren zij dus de eerste professionals in de sport.
Toen duidelijk werd dat er veel eer te halen was in Olympia, gingen vorsten van diverse landen over tot het

aantrekken van ingehuurde atleten. Ze kochten dus een goede hardloper weg bij een ander land om indruk te kunnen maken bij de volgende Spelen. En omdat winnen ineens heel belangrijk gevonden werd, bedacht men slimmigheden: het vals spelen maakte zijn intrede in de sport. Juryleden werden omgekocht en de atleten lieten elkaar winnen voor geld.

*Een van de grootste valsspelers ooit op de Spelen was een Russische schermer die Boris Onichenko heette. Hij deed mee in 1976 in Montreal op het onderdeel moderne vijfkamp (waar schermen een onderdeel van is). Bij het schermen gaat een lampje branden zodra de tegenstander geraakt wordt, zodat de juryleden en de sporters kunnen zien hoe de stand in de wedstrijd is. De Rus had echter zitten knoeien met de draadjes aan zijn degen waardoor hij het lampje zelf kon laten branden zonder dat hij zijn tegenstander raakte. In een van zijn partijen, tegen de Engelsman Jim Fox, ging het lampje branden terwijl iedereen kon zien dat de degen van de Rus niet eens in de buurt van de Engelsman was. De jury vroeg de Rus zijn wapen af te geven en toen werd het vals spelen ontdekt.*
*De Rus werd direct uitgesloten van verdere deelname en kon naar huis vertrekken.*

Dat was niet de bedoeling geweest van de eerste koningen die de Spelen organiseerden. In die eerste jaren duurde het toernooi een dag en kwamen er slechts een paar honderd mensen kijken. Maar via opgravingen weten we nu dat in het oude Olympisch Stadion van Olympia wel 21.000 mensen konden. De

Spelen werden dus steeds groter en belangrijker en omdat er ook steeds meer machtige mensen als toeschouwer en deelnemer kwamen, verdween de eerste opzet van de Spelen.
Wat die opzet was? Eenvoudig gesteld: een mens moest een gezonde geest en een gezond lichaam hebben. Diegenen met de sterkste lichamen moesten tegen elkaar wedijveren op een sportieve manier, zoals de Griekse goden dat voorgeschreven hadden.
Rond het begin van de jaartelling, toen er dus al honderden jaren Olympische Spelen waren geweest (altijd om de vier jaar) raakten de Spelen in verval. Volgens de nieuwe wereldleiders was het niet meer zo belangrijk om goed te kunnen hardlopen of met een discus ver te kunnen gooien. In die dagen werd er anders gedacht over het leven. Het was de tijd van grote oorlogen en de opkomst van het christendom.
Omdat het Romeinse Rijk groter en groter werd en de oude Griekse beschaving – waar de Olympische Spelen

immers gehouden werden – in verval raakte, werden de Spelen langzamerhand onbelangrijk.
Het kwam zelfs zo ver dat de beroemde, wrede keizer Nero van het Romeinse Rijk aan de Spelen van 67 n.Chr. ging meedoen. Hij had gehoord dat er roem en eer weggelegd was voor de winnaar van de paardenrennen en hij liet zich inschrijven. Omdat hij als machtigste man van de wereld mee ging doen, durfde niemand anders op dat onderdeel uit te komen. Er waren dus geen tegenstanders voor hem.
In het Olympisch Stadion ging de keizer wel van start. Hij was erg dronken en wist zich geen raad met de paarden. Hij reed de wedstrijd niet uit, want zijn wagen kapseisde. Toch werd hij als Olympisch winnaar geëerd; niemand durfde hem immers tegen te spreken.
In 393 n.Chr. waren de Olympische Spelen voorbij. Weer was het een Romeinse keizer die zich ermee bemoeide. Deze man, de machtige veldheer Theodosius I, liet in het hele rijk verkondigen dat de Spelen van Olympia in het vervolg verboden waren. Er werd dus niet meer gelopen, gegooid en geworsteld in dat grote, mooie, beroemde stadion in de stad Olympia.

Bijna tweehonderd jaar later was er van die stad en dus ook van het stadion niets meer over. Er werd alleen nog maar oorlog gevoerd en geplunderd en het hele begrip Olympische Spelen verdween uit de geschiedschrijving. Eeuwenlang zouden er geen grote, internationale sportontmoetingen meer gehouden worden die zelfs maar aan de oude Spelen herinnerden. De mensen bevochten elkaar voortdurend en van de oorlogspauze tijdens de Olympische Spelen wilde niemand meer iets weten.

# Het begin van de moderne Spelen

Het duurde bijna zestienhonderd jaar voor men weer ging denken over het organiseren van Olympische Spelen. In al die eeuwen werden er geen grote, internationale wedstrijden gehouden. Er waren wel veel oorlogen en daar had men het veel te druk mee. Het klinkt misschien vreemd, maar de mensen wisten nog niet wat handbal was, hoe je moest voetballen of hoe de spelregels van judo waren. Bijna vijftienhonderd jaar lang werd er bijna niets aan sport gedaan, zeker niet op internationaal niveau.
Pas toen geleerden in de zestiende eeuw boeken begonnen te lezen waarin verteld werd over de Griekse Oudheid, begreep men wat de betekenis van de Olympische Spelen was geweest.

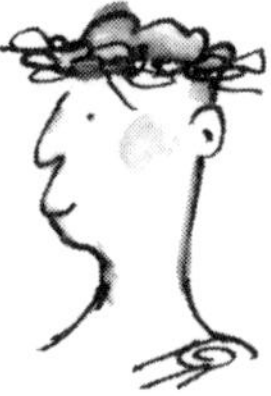

Het gekke was dat men geen idee had hoe het in het oude Griekenland was gegaan. Hoe die Spelen georganiseerd werden en wat de betekenis van het toernooi was, bleef onbekend.
En wat was die betekenis ook al weer? Juist, er diende eens in de vier jaar een moment van vrede te zijn in de wereld, waarin er alleen op sportief gebied werd gestreden. Want, zo vonden de Grieken, een mens moest een gezonde geest en een gezond lichaam hebben.
Dat konden de mensen zich in de nieuwe wereld niet

indenken. Zij wisten niet beter dan dat er voortdurend en overal oorlog was. En als het in je eigen land even vrede was, dan was er wel een oorlog bij de buren. Zo simpel was het.

De Engelsen namen voor het eerst in de zeventiende eeuw het voorbeeld van Olympia over en gingen hun eigen sporttoernooi organiseren. Ze hadden ook de oude boeken gelezen waarin over de wedstrijden in Olympia verteld werd en ze vonden dat een goed voorbeeld voor de Engelse jonge mannen die sterk en lenig waren. Ze noemden het de Olympische Spelen van de Coswolds. Er deden echter alleen maar mensen uit het Britse rijk mee, zodat het niet echt op de Olympische Spelen leek. Het was dus geen groot toernooi waar atleten vanuit heel Europa naartoe kwamen.
Een eeuw later begon een gymnastiekleraar in Duitsland ook met het organiseren van iets wat op een kopie van de Olympische Spelen leek. Deze man heette Johann Guts Muth en hij organiseerde hardloopwedstrijden waar jonge kerels van diverse Duitse steden tegen elkaar moesten lopen.

In 1829 begonnen mensen die geïnteresseerd waren in de geschiedenis van het oude Griekenland met opgravingen rond de plaats waar vroeger Olympia had gelegen. Deze archeologen, Franse professoren vooral, vonden allerlei voorwerpen waardoor ze een goed beeld kregen van wat er eeuwen geleden op deze plaats gebeurd was. Op potten en schalen waren afbeeldingen te zien van worstel- en hardloopwedstrijden, de vormen van het eens zo beroemde stadion werden in de grond gevonden en er

werden ook speren, een discus, delen van paardenwagens en afbeeldingen van andere sportontmoetingen aangetroffen op gebroken aardewerk en tegels en vazen. Zo kreeg men een goed inzicht in wat ooit de Olympische Spelen waren geweest en kwam het idee op om zoiets maar weer eens te gaan organiseren. 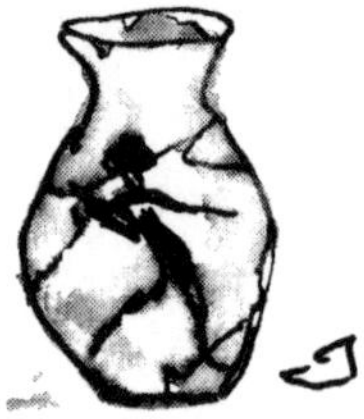
In Griekenland zelf leefde een belangrijke, hooggeplaatste soldaat die graag wedstrijden voor andere militairen wilde organiseren. Die man heette Evangelis Zappas.
Hij organiseerde wedstrijden die een beetje leken op de Olympische Spelen van weleer en hij noemde ze de Pan-hellenistische Spelen. Die wedstrijden werden bezocht door vele duizenden toeschouwers. Eigenlijk deden de atleten wat vijftienhonderd jaar eerder ook al gebeurde: hardlopen, worstelen, verspringen en gooien met een speer of discus.
Maar nog altijd waren het niet de grote, internationale Spelen zoals vroeger.

In die tijd reisde je niet dagen of weken om ergens aan een hardloopwedstrijd te gaan meedoen. De meeste mensen waren arm en werkten hard en lang. Alleen de heel rijken hadden tijd om zich sportief uit te leven. Zij speelden tennis of badminton, ze schermden, roeiden of deden aan paardensport. De arbeiders moesten het doen met boksen of zwemmen in competitievorm, of met iets wat op ons voetbal leek. Echte georganiseerde sport bestond er gewoon nog niet.
Pas rond 1900 kwam daar voorzichtig verandering in.

In Frankrijk leefde een slimme, sportieve man die veel boeken gelezen had. Hij was van adel, zijn aanspreektitel was 'baron', en hij heette Pierre de Coubertin. Op zijn reizen had hij in Engeland iets geleerd van de Olympische Spelen en weer terug in Parijs moest hij van de regering een plan indienen om de Franse jeugd te leren met sport om te gaan, omdat gedacht werd dat zoiets goed was voor een mens. Als je een gezond lichaam had, zou je geest ook gezond zijn en dan werd je een goede burger.
De baron deed zijn werk goed. Hij leerde heel veel van het oude Olympia en begreep dat het belangrijk was om aan internationale competitie te doen. In 1892 hield hij een beroemde toespraak in Parijs. Het zou goed en gezond zijn voor een opgroeiend mens, zowel man als vrouw, om iets aan lichamelijke opvoeding te gaan doen: turnen was belangrijk en atletiek en ook zwemmen.
De baron reisde per boot naar Amerika en besprak zijn plannen daar met gymnastiekleraren. Iedereen was enthousiast toen hij voorstelde om in wedstrijdverband tegen elkaar te gaan sporten. In de zomer van 1894 haalde de baron, die zelf een heel goede schutter was in zijn jeugd, allemaal in sport geïnteresseerde mensen naar Parijs en vertelde al deze mannen (er was geen vrouw bij) dat hij een plan had. Hij wilde weer een Olympische Spelen organiseren zoals die vroeger in de Griekse Oudheid ook gehouden waren.
Toen hij uitgesproken was, keek hij rond en zag dat mensen uit twaalf landen met hem mee wilden doen. Vertegenwoordigers van nog eens eenentwintig andere landen zeiden dat ze zeer geïnteresseerd waren en dat ze later ook graag mee wilden gaan doen. Welbeschouwd

was dat de start van de moderne Olympische beweging. Op 23 juni 1894 werd besloten dat er eens in de vier jaar een groot, internationaal sporttoernooi gehouden zou worden, net zoals dat eerder in het klassieke Griekenland was gebeurd.
Er werd een vereniging opgericht, het Internationaal Olympisch Comité, kortweg IOC. Als voorzitter werd Demetrius Vikelas gekozen, een bekende gymnastiekleraar uit Griekenland. De Franse baron werd secretaris van de club; hij moest dus alle leden op de hoogte houden van de ontwikkelingen.

De eerste vraag was natuurlijk waar men die nieuwe Olympische Spelen zou laten plaatsvinden. In Europa bestonden enkele grote steden waar men het wel aandurfde om zo'n groot toernooi te organiseren en als eerste dacht men aan Boedapest, tegenwoordig de hoofdstad van Hongarije.

Omdat de voorzitter van de organisatie uit Griekenland kwam en zijn stem heel erg belangrijk was, werd op het laatst besloten naar de hoofdstad van Griekenland te gaan, Athene. En zo zou men dik twee millennia nadat de oude Olympische Spelen in Olympia in Griekenland plaatsvonden, weer in Griekenland beginnen. De organisatoren kregen tot 1896 de tijd om hun zaken te regelen, maar dat lukte niet zo goed.
De Griekse regering had geen geld voor de organisatie en dus hoopte men op rijke Grieken die misschien mee wilden betalen. Men vond een Griek die in Egypte woonde en die Georgios Avykeris heette. Die man was erg rijk geworden in de scheepvaart en hij wilde wel meebetalen aan de bouw van een nieuw en groot stadion.
Dat stadion kwam er en bij de opening, op 25 maart 1896, keken meer dan veertigduizend Grieken hoe hun koning George de nieuwe Olympische Spelen opende.

# In 1896 was het zover

De Spelen die in Athene 1896 gehouden werden, duurden tien dagen. De Grieken, die veruit de meeste deelnemers hadden in de diverse kampioenschappen, wonnen de meeste medailles: zevenenveertig in totaal. Omdat lang niet iedereen in de wereld aan sport deed en omdat reizen heel duur was, waren er niet veel buitenlandse atleten naar Athene gekomen. Uit de inschrijvingspapieren blijkt dat er driehonderdelf deelnemers uit dertien landen waren gearriveerd. Van dat aantal kwamen er maar liefst tweehonderddertig uit Griekenland.
De Engelse ploeg telde twee mannen die op de Engelse ambassade in Athene werkten en er was ook een man uit Ierland die min of meer toevallig in Athene verbleef en die zich liet inschrijven voor het tennistoernooi. Hij heette John Boland en won het enkelspeltoernooi.

*De winnaar van de allereerste marathon van de moderne Spelen, de Griek Spyros Louis, won die race op 29 maart 1896 in Athene. Om uit te maken wie Griekenland mocht vertegenwoordigen, werden kort voor de Spelen twee kwalificatieraces georganiseerd; eentje op 10 maart en eentje op 24 maart.*

*Louis deed mee in die van 24 maart en wist die te winnen. Vijf dagen later moest hij dus weer die grote afstand gaan rennen. Zoiets zou tegenwoordig niet mogelijk zijn. De marathonlopers van nu kunnen maar twee of drie wedstrijden per jaar lopen. Louis deed er dus twee binnen een week.*
*Er waren zestien deelnemers en niemand kende de kleine Griek. In het koele en regenachtige weer liepen ook atleten mee die eerder de 800 en 1500 meter hadden gelopen en voor wie het de eerste maal was dat ze meer dan 40 kilometer moesten rennen.*
*Louis won, werd de held van het Griekse volk en mocht bij koning George I komen. Hij mocht van de koning een cadeau uitkiezen en na enig nadenken vroeg hij een paard en wagen. Dan kon hij tonnen met schoon water gaan vervoeren van Athene naar zijn woonplaats Amaroussion.*
*Voordien had Louis gebruikgemaakt van een klein ezeltje. Hij liep altijd hard naast het beestje op weg naar Athene. Door die training werd hij zo'n goede hardloper. Na zijn succes deed Louis overigens nooit meer mee aan hardloopwedstrijden.*

En dan was er het verhaal van de Italiaanse hardloper die, naar verluidt, lopend uit Milaan was gekomen. Men ontdekte dat de man ooit hardloopwedstrijden had gewonnen waar hij geld voor had gekregen en dat mocht niet van de organisatoren. De stichters van de Olympische Spelen dachten dat het eerlijk zou zijn om alleen maar amateurs tegen elkaar te laten sporten. Professionals mochten dus niet meedoen en de Italiaan werd naar huis gestuurd.
Overigens werd er in die dagen bijna niet over de Olympische Spelen geschreven in de kranten. En in Nederland al helemaal niet, want er deden geen

Nederlanders mee aan de eerste moderne Olympische Spelen.
In Griekenland heerste na deze eerste Spelen het idee dat de volgende uitvoering ook maar in Athene gehouden moest worden. Omdat de koning van de Grieken zeer enthousiast was en zijn zoons zelfs de laatste honderden meters van de marathon met de Griekse winnaar (hij heette Spyros Louis en werd heel beroemd in zijn eigen land) hadden meegelopen, dachten heel veel mensen in Griekenland dat er in 1900 weer gesport zou worden in het grote, mooi gebouwde Olympisch Stadion.
Maar dat gebeurde niet, vooral omdat de Franse baron Pierre de Coubertin vond dat de Spelen iedere keer in een ander land gehouden moesten worden; dat zou beter zijn voor de Olympische beweging. Landen die geïnteresseerd waren in het organiseren van de Spelen moesten ook de kosten van de organisatie op zich kunnen nemen en dat was sowieso een probleem voor het eigenlijk arme Griekenland.
De Spelen verhuisden uiteindelijk naar Parijs, waar het in die dagen een flinke chaos was. De begindatum was 20 mei en de sluitingsceremonie vond plaats op 26 oktober.
Dat was een lange periode, maar er werd niet iedere dag aan sport gedaan. In tegenstelling tot Athene vier jaar eerder lieten zich veel meer sportlieden inschrijven: maar liefst 1344. Ze vertegenwoordigden tweeëntwintig landen en voor het eerst deden er sportmensen uit Nederland mee. Waar er in Athene geen vrouwen meededen, waren er in Parijs elf vrouwen aanwezig. Bij deze Olympische Spelen won voor het eerst een vrouw.

*De allereerste vrouw die een Olympische titel won heette Charlotte Cooper. Ze kwam uit Engeland en won in Parijs 1900 het tennistoernooi. Met 6-1, 6-1 versloeg ze de Française Hélène Prévost in het enkelspel en samen met Reginald Frank Doherty won ze ook het dubbelspel. Opmerkelijk was dat vrouwen mochten meespelen. Ze waren gekleed in een lange, witte rok, tot net boven de enkels en liepen op schoenen met kleine hakjes eronder.*

Het was nog wel een zootje in Parijs. Niemand wist precies wie nou de echte organisatie in handen had, er werden ook wedstrijden gehouden waar professionals aan meededen en de naam van baron De Coubertin hoorde je bijna nergens; het was net alsof de andere Franse organisatoren hem wilden pesten en deden alsof hij niet bestond.
De baron, zo vonden de anderen, was een man met veel te mooie ideeën over sport; hij zocht alleen het goede in de sportende mens en lang niet iedereen was het daarmee eens. Ze noemden hem een idealist.
Toen in 1965 mensen van een grote krant op zoek

gingen naar sportmensen die in 1900 deelgenomen hadden aan de Spelen, troffen ze een zekere Vasserot, een Franse wielrenner die volgens de officiële boeken tweede was geworden op het onderdeel baanwedstrijd. De oude meneer Vasserot wist nog wel dat hij ooit aan een wedstrijd in Parijs had deelgenomen, maar dat het om de Olympische Spelen ging, wist hij niet meer. Hij had gedacht dat het zomaar een wedstrijd was.

In Parijs maakten de organisatoren bovendien een grote fout. Ze lieten diverse finales op zondag plaatsvinden en vergaten dat er nogal wat sportmensen naar deze Spelen waren gekomen die gelovig waren en van hun kerk niet op zondag aan sport mochten doen. Zo was er een merkwaardig incident. De beste verspringer van die dagen was de Amerikaan Myer Prinstein, die al 7,50 meter had gesprongen. Zijn concurrent, landgenoot Alvin Kraenzlein, was bijna net zo goed.
Toen bekendgemaakt werd dat de finale op zondag zou plaatsvinden, zei Prinstein dat hij niet mee zou doen wegens zijn geloof. Kraenzlein trok zich daar niets van aan en zei dat hij wel zou springen. Prinstein werd daarop zo kwaad dat hij op maandag op zijn concurrent af liep en hem hard in het gezicht sloeg. Een paar dagen later was hij nog steeds boos, maar won wel

het onderdeel hink-stapsprong. Hij had zijn revanche genomen, maar kreeg een uitbrander omdat hij zich onsportief had gedragen tegenover een andere Olympische sporter.
De gekste sport die in Parijs plaatsvond was het onderdeel geweerschieten. De deelnemers moesten niet op een vast doel mikken, maar op een levend wild zwijntje dat in een grote weide was losgelaten.
In Parijs werden ook voor het eerst drie medailles uitgedeeld: een gouden voor de winnaars, een zilveren voor de nummers twee en een bronzen voor de nummers drie.
Vier jaar later vonden de Spelen voor het eerst in Amerika plaats. In St. Louis werd dat jaar de Wereldtentoonstelling gehouden, net zoals er in Parijs 1900 een officiële Wereldtentoonstelling was, en dus moest er tegelijkertijd maar aan sport gedaan worden.
Er slaagden niet veel landen in om hun sportmensen naar het verre Amerika te sturen; de meeste van de 629 deelnemers kwamen uit Amerika zelf: 574. In Nederland had geen enkele sporter geld genoeg om de dure reis per boot en trein te betalen.

*In 1904 was het voor de meeste niet-Amerikanen veel te duur om de reis naar St. Louis te bekostigen. Zo gebeurde het dat er heel wat toernooien met uitsluitend Amerikanen en Amerikaanse ploegen verspeeld werden. Vijf teams deden mee aan het basketbaltoernooi en ook bij worstelen, boksen, tennis en boogschieten kwamen er alleen maar Amerikanen aan de start. Deze sporten werden door het IOC als 'demonstratiesporten' aangeduid.*

In 1906 werden in Athene de zogeheten Interim Games gehouden, oftewel de kleine Olympische Spelen, tussen St. Louis en Rome in. Het waren vooral wedstrijden voor sportlieden uit Europa die twee jaar eerder niet de dure reis naar Amerika hadden kunnen maken. De treinreizen naar Griekenland waren nog wel te doen.
De volgende Spelen, in 1908, waren gepland in Rome. Tijdens de Interim Games werd echter bekendgemaakt dat de Italiaanse organisatoren te weinig geld op tafel konden krijgen en baron De Coubertin besloot met zijn vrienden dat de Spelen in 1908 naar Londen in Engeland zouden gaan.

In Londen waren er honderdnegentien Nederlanders. De bootreis was nu natuurlijk niet zo duur. Het Nederlands voetbalelftal werd derde!
In Londen werd trouwens voor het eerst een echte openingsceremonie gehouden. Het Olympisch Stadion heette Shepards Bush en was multifunctioneel, wat inhield dat er meerdere sporten konden plaatsvinden: atletiek, voetbal, wielrennen en zwemmen. Er konden meer dan tachtigduizend toeschouwers in!
Ook hier werden er finales op zondag gehouden. De Amerikaan Forrest Smithson protesteerde hiertegen. Hij was student theologie en deed aan de finale mee met een bijbel in zijn hand. Dat was zijn manier van protest. Hij won nog ook, met dat heilige boek in zijn rechterhand!
De marathonrace leek gewonnen te worden door de

Italiaan Dorando Pietri. Hij kwam het stadion als eerste binnen, maar zakte op iets meer dan honderd meter voor de finish van vermoeidheid in elkaar. Toegesnelde Engelse juryleden hielpen hem weer op de been en ondersteunden hem terwijl de Italiaan over de finish wankelde. Toen de nummer twee, de Amerikaan Hayes, dit later hoorde, diende hij een protest in. De hoge Olympische heren gaven toe dat er fouten gemaakt waren en wezen het protest toe: de Italiaan moest zijn eerste plaats inleveren. Omdat Engelse toeschouwers dat zielig vonden, werd er een inzameling gehouden en kreeg Pietri een dag later een grote beker aangeboden. In de officiële boeken staat zijn naam echter niet vermeld.
De sprinters van de Amerikaanse ploeg haalden bij die Spelen een heel laffe streek uit met een van hun ploeggenoten. De misschien wel snelste Amerikaan van de groep was Howard Drew, een neger. In Amerika en overal op de wereld heerste rassendiscriminatie; negers werden niet voor vol aangezien.
Terwijl de finalisten voor de 100 meter zich klaarmaakten voor de finale, ontbrak Drew. Niemand wist waar hij was, maar al snel na de race – gewonnen door Ralph Craig, een andere (blanke) Amerikaan – werd duidelijk dat Drew opgesloten zat in de kleedkamer. De deur was aan de buitenkant op slot gedraaid...

Na Londen was in 1912 de beurt aan Stockholm in Zweden. Er waren mensen die dit de best georganiseerde Spelen tot dat moment vonden. Er werd gesport van 5 mei tot en met 22 juli en voor het eerst maakte men gebruik van elektronische tijdwaarneming. Ook de

zogeheten fotofinish werd voor het eerst gebruikt.
Dat was een apparaat dat recht op de finishlijn geplaatst stond en waarmee je precies kon zien wie er gewonnen had als twee of meer atleten heel dicht bij elkaar finishten. In Zweden werden ook competities in diverse kunstvormen gehouden, eveneens een nieuwigheid. Zo konden landen mensen laten deelnemen op de onderdelen literatuur, bouwkunst, beeldhouwen, muziek en schilderen. In Stockholm werd de gouden medaille op het onderdeel literatuur behaald door een meneer die als naam Hohrod-Eschbach had opgegeven. Enige tijd later werd bekendgemaakt dat het de schuilnaam van de beroemde baron De Coubertin was. Hij had in het Frans en Duits een opstel ingeleverd dat 'Ode aan de sport' heette. De jury, die niet wist dat de hoge Olympische bestuursbaas achter de moeilijke naam schuilging, gaf de eerste prijs aan het voortreffelijke, en zeer idealistische werkstuk van Hohrod-Eschbach.

Een jaar na de Spelen vond een internationale rel plaats. Een atleet die de tien- en vijfkamp op zijn naam had geschreven, werden zijn Olympische medailles afgenomen. De man heette Jim Thorpe en hij was een Amerikaanse indiaan.
Hij was sterk en kon heel goed rennen, maar een jaar na de Spelen ontdekten mensen dat diezelfde Jim Thorpe voor geld honkbal gespeeld had in Amerika. Omdat de Spelen alleen maar openstonden voor echte amateurs moest de arme man zijn medailles teruggeven en werd zijn naam uit de boeken gestreept.
Eigenlijk was dat grote onzin. Thorpe was als tienkamper naar Stockholm gekomen en niet als honkballer. Hij was

gewoon goed in een heleboel sporten. In 1982 werden aan de nabestaanden van Thorpe de medailles alsnog teruggegeven. De mensen van het Internationaal Olympisch Comité zagen in dat hun voorgangers in 1913 een denkfout gemaakt hadden. Thorpe zelf, een echte Wha Tohuck-indiaan heeft dat nooit geweten. Straatarm overleed hij in 1963.

De Spelen van 1916 waren gepland in Berlijn. In eerste instantie kwamen er drie steden in aanmerking om de Spelen te mogen organiseren: Boedapest (Hongarije), Alexandrië (Egypte) en Berlijn (Duitsland). Uiteindelijk gaf baron De Coubertin de organisatie aan de Duitsers, maar toen brak de Eerste Wereldoorlog uit.
Er bestaan brieven waarin de Duitsers aan De Coubertin schrijven dat ze denken dat deze oorlog maar kort zal duren en dat men zich dus geen zorgen over het voortbestaan van de Spelen hoeft te maken. In 1916 stond Europa echter nog in de brand; overal werd gevochten en de Duitsers waren de tegenstanders van vele andere landen. Vanuit Engeland werd erop aangedrongen de Duitsers uit de Olympische beweging te zetten – hun oorlogszuchtige ideeën dienden bestraft te worden – maar De Coubertin durfde dat niet te doen. Noodgedwongen werden de Spelen van 1916 overgeslagen. Een paar weken na het einde van de oorlog, in 1918, kwamen de leden van het IOC in Frankrijk samen en werd er gewerkt aan de Spelen van Antwerpen, in België. Achttien maanden na het einde van de oorlog vonden die plaats. In Antwerpen ontbraken bekende Olympische atleten als de Fransman Jean Bouin en de Duitser Hans Braun. Zij waren als

soldaat gesneuveld in de oorlog.
In 1920 was de Nederlandse Olympische ploeg maar liefst honderddertig man sterk. Logisch, want de Spelen vonden dicht bij huis plaats, in het Belgische Antwerpen. Ook deze Spelen hadden enige tijd nodig, want ze begonnen op 20 april en eindigden op 12 september.
Wat waren de nieuwigheden in Antwerpen? Om te beginnen werd voor het eerst de Olympische eed uitgesproken door een van de deelnemers. Een eed uitspreken is een beetje een officieel gedoe. In plechtige woorden zei de deelnemer dat hij zich zou houden aan de regels die de Olympische beweging hem had opgelegd en dat hij sportief zou blijven tijdens de Spelen.
Een ander nieuwtje was dat de Olympische vlag boven het stadion werd gehesen. Die vlag bestond uit een groot wit vlak met daarop vijf ringen in de kleuren blauw, zwart, rood, geel en groen.
Iedere kleur stond voor een continent: blauw voor Europa, zwart voor Afrika, rood voor Amerika, geel voor Azië en groen voor Australië.
Tot slot werden er bij de openingsceremonie

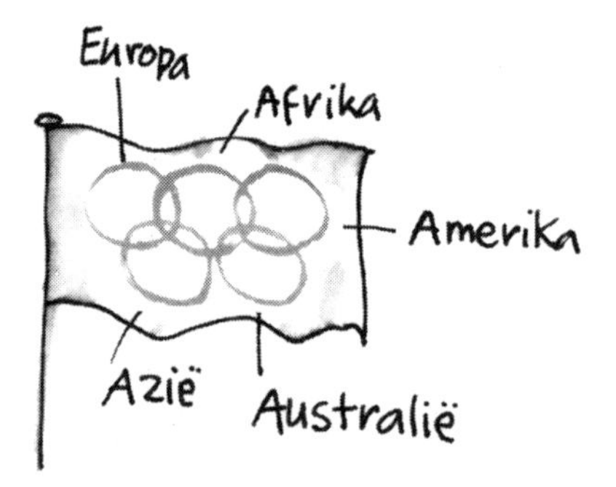


vredesduiven losgelaten. Dat zou vanaf Antwerpen steeds zo gebeuren. Eén keer liep dat niet helemaal goed. In Seoel in 1988 werd het Olympisch vuur in het stadion ontstoken en zagen miljarden mensen die naar de televisie keken dat een paar duiven niet snel genoeg op konden vliegen; ze zaten in de schaal van de vlam en overleefden de Spelen helaas niet.

*In 1920 deed de Engelsman Philip John Noël-Baker mee aan de Spelen van Antwerpen. Hij kon best goed hardlopen en werd tweede op de 1500 meter. Noël-Baker werd echter nog veel beroemder door wat hij na zijn sportcarrière ging doen. Hij werd schrijver en zette zich in voor de ontwapening op de wereld. Hij vond dat het hebben van wapens niet goed was voor de wereldbevolking. Omdat hij daar heel goede ideeën over had en die ook in zijn boeken uitdroeg, werd hem in 1959 de Nobelprijs voor de vrede toegekend.*

Vier jaar later werden de Spelen voor de tweede maal in Parijs gehouden. Natuurlijk had de invloed van baron De Coubertin daarmee van doen. De Coubertin had gezegd dat zijn landgenoten de kans moesten krijgen om revanche te nemen op de slechte organisatie van 1900 en niemand in het Internationaal Olympisch Comité had de baron tegengesproken.
Parijs zette een aantal houten keten neer waar de sportmensen konden slapen en daarmee was Parijs de eerste Olympische stad die een soort Olympisch dorp had.
Ook de tweede uitvoering van de Olympische Spelen in Parijs werd geen overtuigend succes. De grote hitte weerhield veel mensen ervan te gaan kijken en de organisatoren hadden niet voldoende geld. Dat Parijs toch doorging met de organisatie was te danken aan baron De Coubertin. In 1923, een jaar voor de Spelen, overstroomde een groot deel van de stad. Omdat het niet zeker was of men een jaar later helemaal klaar zou zijn voor de Spelen, werd er al aan de burgemeester van Los Angeles in Amerika gevraagd of die stad misschien als nood-Olympische gaststad zou kunnen dienen. Parijs was

echter net op tijd klaar met de voorbereidingen en de Fransen zeiden de organisatie aan te kunnen.
Parijs kende één grote Olympische held: de Finse hardloper Paavo Nurmi, een man die heel sterk was en die in extreme weersomstandigheden kon presteren. Toen de tien kilometer veldloop (tegenwoordig staat dat onderdeel niet meer op het programma) gehouden moest worden was het in Parijs boven de 40°C, men zei zelfs 45°C. Heel veel hardlopers vielen uit, eentje stierf zelfs omdat het te warm en te droog was om zelfs maar gewoon te kunnen lopen.
Nurmi bleek daar weinig last van te hebben en rende rustig voort. De Fin was overigens in meerdere opzichten een bijzondere hardloper. Omdat er nog geen tijdwaarneming in het stadion aanwezig was, konden de sporters zelf niet zien hoe hard ze liepen. Nurmi had daar iets op gevonden: hij droeg een stopwatch in zijn rechterhand en drukte die steeds in als hij de finish passeerde. Dan keek hij in de volgende bocht naar zijn tijd en wist hij of hij goed op schema liep. Maar Nurmi had niet altijd voordeel van die stopwatch. Vier jaar later in Amsterdam, waar hij meedeed aan de 3000 meter

hindernisloop, viel hij over een hindernis en brak daarbij zijn klokje dat hij in zijn hand hield. Hij werd toen tweede!

In Parijs was rugby voor het laatst een Olympische sport, net zoals tennis, dat overigens in 1984 weer terugkwam. De Fransen probeerden een heel nieuwe sport Olympisch te maken: polo, een spel dat door rijke mensen in Engeland, Frankrijk, Argentinië en Amerika gespeeld werd. Maar het grote publiek was niet zo geïnteresseerd in deze sport.

In het bokstoernooi deed men ook iets nieuws: de scheidsrechter stond niet in de ring, maar zat op een stoel erbuiten. Ook dat was bepaald geen succes; sluwe en gemene boksers probeerden vals te spelen omdat de scheidsrechter niet alles kon zien. Bij een van de bokswedstrijden liep dat zelfs uit de hand. Een Franse bokser beet zijn Engelse tegenstander hard in diens schouder. De Fransman werd gediskwalificeerd en de Engelsman won de gouden medaille.

# Amsterdam

De tiende Olympische Spelen vonden in 1928 in Nederland plaats. Er zijn haast geen mensen meer die zich dat nog kunnen herinneren, maar het moeten toen heel gezellige Spelen geweest zijn. Sport in Nederland was in die dagen niet zo belangrijk als het tegenwoordig is. In kranten werd er wel iets over geschreven, de radio bestond al en er werden reportages uit Amsterdam uitgezonden. Maar van televisie had niemand in die dagen nog gehoord; je kon dus nooit zien wat er op dezelfde dag in het Stadion plaatsvond. Er werden tijdens de Spelen van Amsterdam wel films gemaakt. In bepaalde bioscopen konden de mensen dan een week later zien hoe de sportwedstrijden verlopen waren.
Op die zwartwitfilms zie je hoe het Olympisch Stadion van Amsterdam er toen uitzag: prachtig, groot en helemaal nieuw gebouwd. Als je nu naar Amsterdam gaat, kun je zien waar dat oude, bijna statige stadion heeft gestaan en nog steeds staat. Gelukkig hebben verstandige mensen ervoor gezorgd dat dit historische bouwwerk behouden is gebleven, maar het had niet veel gescheeld of er was helemaal geen Olympisch Stadion meer geweest. De gemeente Amsterdam wilde twintig jaar geleden eigenlijk op die plaats huizen bouwen.
De bouwer van het stadion was Jan Wils. Hij had in 1926

de opdracht gekregen een groot stadion te gaan tekenen zodat men in 1928 de echte Olympische Spelen daar kon laten plaatsvinden. Wils was een goede architect, maar niet zo'n goede rekenaar. Hij zou een stadion bouwen voor veertigduizend mensen, maar toen het gebouw opgeleverd werd, konden er maar 31.500 mensen een plaats vinden. Toch was het Internationaal Olympisch Comité heel blij met het grote en ruim gebouwde stadion en kreeg Wils de gouden medaille tijdens de Spelen omdat hij meedeed aan het onderdeel bouwkunde. Het was bijzonder dat de architect van het stadion waarin gesport werd juist dit bouwwerk ingestuurd had, met die opvallende rekenfout dus, maar het loonde wel.

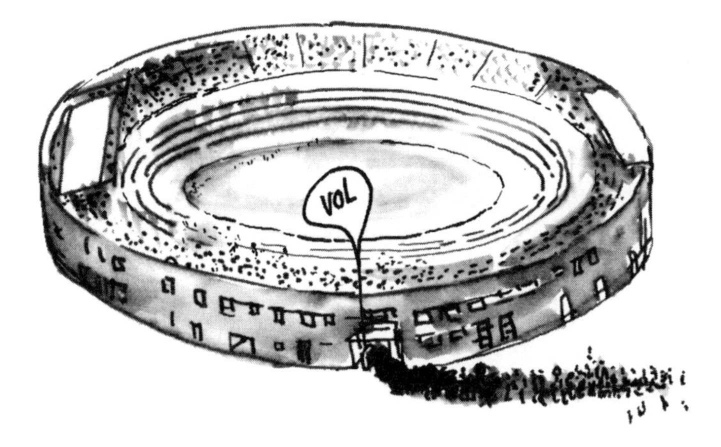


Het mooie van het stadion in Amsterdam was dat je diverse sporten in één accommodatie kon laten plaatsvinden. Zo werd er op het grasveld in het midden van het stadion voetbal en hockey gespeeld, werd er geturnd, kon er op de wielerbaan gefietst worden en werden op de sintelbaan alle atletiekwedstrijden gehouden. Het was voor het eerst dat men in Amsterdam sprak van 'compacte Spelen'.

Hoe kwam het eigenlijk dat Amsterdam de organisatie van deze Spelen toegewezen kreeg? Daar zit een leuk verhaal aan vast. De Franse baron De Coubertin (die overigens in die jaren een zieke, oude man aan het worden was en tijdens de zomer van 1928 in Frankrijk achterbleef en niets van de Spelen zag) had een Nederlandse vriend, ook een adellijke man: baron Van Tuyll van Serooskerken, een aardige meneer die heel actief was in het Nederlands Olympisch Comité.
De twee baronnen hadden elkaar leren kennen tijdens vergaderingen van het Internationaal Olympisch Comité en de Nederlandse baron had zijn Franse collega verteld dat hij wel kans zag de Spelen in Amsterdam te organiseren.
De mannen berekenden de kosten van de Spelen en kwamen op een totaalbedrag van bijna twee miljoen gulden, voor die tijd een enorm bedrag, tegenwoordig een schijntje. Van Tuyll probeerde dat geld in Nederland bij elkaar te krijgen, maar die acties liepen niet al te soepel. Hij dacht aan een nationale loterij, maar die kwam er niet omdat de regering dat verbood. Goede raad was duur, maar de oplossing bleek eigenlijk heel simpel: een nationale inzamelingsactie.
Van Tuyll liet weten hoe leuk het was als de Spelen naar Amsterdam zouden komen en hij vertelde erbij dat het ook goed voor ons land zou zijn: er zouden toeristen komen en de naam Amsterdam zou tijdens de Spelen de

hele tijd in alle persberichten genoemd worden. Met andere woorden: Nederland en Amsterdam zouden in de zomer van 1928 even het centrum van de wereld zijn. Binnen tien dagen was het benodigde geld bij elkaar omdat iedere Nederlander wel iets gaf.
Later heeft men de straat tegenover het Olympisch Stadion in Amsterdam de Van Tuyll van Serooskerkenweg genoemd, zodat we voor altijd herinnerd zullen worden aan de goede daden van die baron.

De Spelen begonnen op 17 mei 1928 en de sluitingsceremonie was op 12 augustus van dat jaar. De eerste maand werden echter maar twee sporten beoefend: voetbal en hockey, omdat er in die sporten voorrondewedstrijden gespeeld moesten worden. De andere sporten vonden allemaal plaats in de mooie zomer van 1928, in en rond Amsterdam. Vlak naast het Olympisch Stadion waren twee gebouwen neergezet waar men kon schermen en worstelen. Tegenwoordig bevinden zich in die gebouwen de garage en de showroom van Citroën, het Franse automerk. Het zwemstadion werd vlak bij het grote stadion gebouwd en direct na de Spelen weer afgebroken. Men roeide op het Sloterkanaal, vlak bij het stadion, en de zeilwedstrijden vonden plaats op het Buiten-IJ, ook in Amsterdam. Voor het toentertijd belangrijke onderdeel paardensport was men uitgeweken naar de heide bij Hilversum en ook daar kwamen heel veel mensen kijken.
Er was nog geen Olympisch dorp, zoals in Parijs, maar velen van de ruim drieduizend deelnemers werden ondergebracht in scholen in Amsterdam-Zuid – het was immers schoolvakantie – en men sliep op veldbedden in

de leeggemaakte klaslokalen. Rijke deelnemers verbleven in hotels in de stad. De Amerikanen hadden een leuke manier bedacht om hun ploeg onder te brengen. Ze waren met zijn allen met een groot passagiersschip naar Amsterdam gekomen en ze gebruikten de hutten van die boot gedurende de zomermaanden gewoon als botel. Het schip lag keurig afgemeerd in de IJ-haven en alle Amerikanen sliepen en leefden daar.

Op 28 juli werden de Spelen officieel geopend door prins Hendrik, de man van koningin Wilhelmina. Het was eigenlijk wel gek dat voor het eerst sinds tijden het staatshoofd van het land waar de Spelen plaatsvonden niet ook de opening verrichtte.
Koningin Wilhelmina, de oma van onze koningin Beatrix, was nogal een eigenwijze vrouw. Ze vond dat ze te weinig op de hoogte gehouden was over die Olympische Spelen en over de dag dat er officieel begonnen zou worden. Omdat ze hield van orde en koninklijke netheid besloot ze niet zelf te komen, maar haar man te sturen. Later tijdens de Spelen bezocht ze wel een aantal sportwedstrijden en waar ze kwam werd aan de deelnemers te verstaan gegeven dat ze zich netjes en sportief dienden te gedragen,

want de Nederlandse koningin was daar zeer op gesteld! In een Engels boek over de Spelen van 1928 staat daarover een mooi verhaal over de teamleider van de Engelse ploeg. Hij zou zijn landgenoten opdracht hebben gegeven heel sportief te spelen omdat de Nederlandse koningin naar de wedstrijden kwam kijken. De Engelsen moesten zich erg inhouden. Dat leverde ze een verlieswedstrijd tegen de Duitse ploeg op, waarna de Duitsers doorgingen naar de finale en die wisten te winnen. Heel veel later zou een van de Engelse spelers tegen de teamleider zeggen: 'Omdat we heel netjes moesten spelen voor die koningin hebben we de gouden medaille verspeeld.'

De Spelen van Amsterdam waren best bijzonder. Voor het eerst in de geschiedenis werd de Olympische vlam brandend gehouden tijdens de periode dat de Spelen plaatshadden. Daarvoor had architect Wils een heel slim plannetje bedacht: boven de marathontribune in het Olympisch Stadion had hij een toren laten bouwen waarop een grote schaal zat. Via een lange buis kwam daar gas naar boven waardoor er gedurende bijna drie weken constant een vlam brandde boven het stadion, iets wat iedereen in Amsterdam kon zien.
Voor het eerst ook opende de Griekse ploeg het defilé, een soort optocht waarbij de sporters van een land achter elkaar marcheren.

Nu mochten de Grieken als eerste het stadion binnen lopen (Griekenland was immers het land waar de Spelen zijn ontstaan). Vanaf 1928 is het zo gebleven. Nog altijd openen de Grieken de lange rij van deelnemers.
Het was ook nieuw dat in Amsterdam vrouwen aan atletiek mochten doen. Hoewel er door nogal ouderwets denkende mensen gesteld werd dat het voor een vrouw niet gezond zou zijn lang hard te lopen of hoog te springen, gebeurde dat toch. Toen er bij de races op de 800 meter een aantal vrouwelijke deelnemers puffend en steunend de finish bereikte, schreef men in Nederlandse kranten dat vrouwen niet gebouwd waren om zware sportieve handelingen te verrichten. Vrouwen moesten zich bezighouden met het huishouden en het hardlopen aan mannen overlaten. Die ouderwetse opvatting bestaat gelukkig niet meer: vrouwen lopen tegenwoordig ook (en heel snel) de marathon! De internationale vrouwenbeweging was erg blij met die doorbraak in 1928; vrouwen konden nu ook laten zien dat ze heel goed konden rennen en springen. Ook bij het onderdeel gymnastiek mochten vrouwen voor het eerst meedoen. Tot groot enthousiasme van de Nederlandse toeschouwers in het stadion waren het de Nederlandse deelneemsters die heel goed presteerden en veel wonnen.

De Spelen van Amsterdam werden een succes voor de grote Nederlandse ploeg. Onze landgenoten wonnen maar liefst acht gouden medailles. Twee daarvan waren voor bouwkunst (architect Wils) en voor schilderen (de bekende schilder Isaac Israël), onderdelen die we tegenwoordig niet meer bij de Spelen tegenkomen. Op de officiële lijst van succesvolle landenploegen kwam Nederland op de zesde plaats, hetgeen een grote verrassing was. Je mag gerust zeggen dat de georganiseerde sport in ons land in dat jaar een geweldige stimulans kreeg. Nadat de Spelen van Amsterdam afgelopen waren, begonnen heel veel mensen in clubverband aan sport te doen en werden vrouwen ook voor vol aangezien als ze wilden trainen en sporten.

Er waren nog meer opvallende sportieve zaken in Amsterdam. Zo bleken hardlopers uit Finland heel goed te zijn op de middenafstand en de lange afstand. De Finnen noemden hun kracht *sisu*, een woord dat 'uithoudingsvermogen' en 'volharding' betekent. De Finse mannen wonnen veel en werden wereldberoemd. Heel veel later, in de Tweede Wereldoorlog, toen de Russen Finland binnen vielen en op grote tegenstand van de Finnen botsten, kwam datzelfde woord weer terug: sisu.
En de Noord-Amerikaanse sprinters lieten in Amsterdam voor het eerst zien hoe goed ze waren, zoals de negentienjarige schooljongen Percy Williams. Hij woonde vlak bij de Canadees-Amerikaanse grens, bij Vancouver, en had voordat hij in Amsterdam kon meedoen het hele stuk naar de Canadese oostkust liftend afgelegd, alvorens hij op een boot uitkwam die hem naar Amsterdam bracht. Daar was hij de beste op de 100 en de 200 meter hardlopen. Bovendien werd hij tijdens de Spelen benoemd tot 'beste atleet'. De organisatoren hadden een vragenlijst aan iedere deelnemer gegeven en die werd door bijna iedereen ingevuld. De sporters moesten invullen hoe lang ze waren,

hoe zwaar, hoe groot hun spierballen waren en hoe breed hun borstkas was. Een groep Nederlandse doktoren bestudeerde alle lijsten en toen bleek dat de Canadese jonge vent de 'beste atleet' van allemaal was. Zijn lichaamsbouw was 'perfect'.
Binnen de Amerikaanse ploeg was er ook een opvallende deelnemer: zwemmer Johnny Weismuller. Deze sterke man die er knap uitzag zou goud winnen op de 100 meter vrije slag en de 4 x 200 meter estafette. Later zou hij een heel beroemde filmacteur worden: hij werd Tarzan in de gelijknamige films.
Het voetbaltoernooi werd gewonnen door de favoriet, Uraguay. Voordat deze Zuid-Amerikanen van Argentinië wonnen, werd er eerst een finale gespeeld waarin de stand gelijk bleef, 1-1. Dat was een geweldige meevaller voor de organisatoren, want de wedstrijd moest opnieuw gespeeld worden en weer was het grote stadion uitverkocht; dat leverde de Nederlandse organisatoren ineens een winst van meer dan 250.000 gulden op, wat natuurlijk hielp bij de eindafrekening.
De Olympische Spelen van Amsterdam waren voor de deelnemers heel leuke Spelen. Het was mooi weer die zomer en velen van de drieduizend deelnemers vermaakten zich in de stad. Koningin Wilhelmina kwam zelfs naar de grote sluitingsceremonie en gaf persoonlijk gouden medailles aan de winnaars.
En o ja, er was nog iets nieuws in Amsterdam wat we nu heel gewoon vinden: in het Olympisch Stadion had men een groot scorebord laten bouwen zodat de toeschouwers goed op de hoogte konden worden gehouden van de gebeurtenissen en de uitslagen op het veld. Ook daarin was Amsterdam een voorloper.

# Zware tijden breken aan

Na de gunstig verlopen Spelen van Amsterdam was het Amerikaanse Los Angeles in 1932 aan de beurt. De hele wereld maakte een economische crisis door; veel mensen verloren geld op de beurs en er heerste overal armoede. Was het dan wel verstandig om de Spelen in het verre Amerika te houden?
De organisatoren in Los Angeles deden er van alles aan om de rest van de wereld te overtuigen dat het meedoen aan de Spelen niet zo duur zou zijn, maar heel veel sportmensen moesten toch thuisblijven; ze hadden gewoonweg niet genoeg geld om de reis te maken.
De Amerikanen betaalden onderdak, vervoer in de stad, al het eten en drinken voor de Olympische gasten en organiseerden voor het eerst een echt Olympisch dorp, waar de bewakers heuse cowboys waren! Alleen de mannelijke atleten mochten hier verblijven; de vrouwen werden in een apart hotel ondergebracht.
Dat een kleine Nederlandse ploeg naar Los Angeles kon afreizen was eigenlijk te danken aan de Nederlandse Voetbalbond, die de voor die tijd geweldige som van 10.000 gulden betaalde om atleten met de boot te sturen. Een van die Nederlandse deelneemsters was een heel goede zwemster die Zus Braun heette. Ze was misschien wel de beste zwemster van die jaren en ze zou zeker goud

hebben gewonnen als ze niet ziek geworden was voor de finale. Toen de Spelen afgelopen waren, lag ze nog steeds in het ziekenhuis. Het duurde vele weken voordat ze weer beter was en helemaal alleen naar Nederland terug mocht reizen.
Wat in Los Angeles heel belangrijk was, was het klimaat. In dat gedeelte van de Verenigde Staten, in de staat Californië, is het bijna altijd lekker weer: prettig warm, weinig regen en dus ideaal om allerlei sporten in de openlucht te laten plaatsvinden.

In Los Angeles werd voor het eerst het beroemde ereschavot gebruikt: een soort trapje waar de winnaar op de hoogste trede staat, iets daaronder de nummer twee en weer iets lager de nummer drie. Vanaf dat moment zou het Olympisch ereschavot op deze manier gebruikt worden.
De Amerikanen hadden een heel groot stadion voor de Spelen gebouwd, waar meer dan honderdduizend toeschouwers een plaatsje wisten te vinden. Juist omdat het zulk mooi weer was, kwamen in totaal meer dan 1,4 miljoen mensen kijken, zodat de Spelen toch een succes werden, ondanks het feit dat een heleboel atleten van Europese landen thuis hadden moeten blijven.
Bij het hockeytoernooi was er een opvallende uitslag: de balgoochelaars uit India verpletterden de Verenigde Staten met maar liefst 24-1. De midvoor van India, Roop Singh, maakte in die wedstrijd twaalf doelpunten.

Er was ook een rel. Toen de Finse ploeg in Los Angeles aankwam, natuurlijk met hardloper Paavo Nurmi, werd er door organisatoren gezegd dat Nurmi niet mee mocht doen. Hij had de amateurbepalingen overschreden doordat hij bij wedstrijden in Duitsland startgeld had gevraagd (en gekregen). Het Internationaal Olympisch Comité was heel streng: sportmensen mochten geen geld ontvangen voor hun wedstrijden.
De Spelen van Los Angeles werden ook financieel een behoorlijk succes, mede dankzij de Amerikaanse organisator William May Garland, die ervoor had gezorgd dat de Spelen 'winstgevend' werden. In deze moeilijke tijd waarin heel veel mensen arm waren, was dat een prestatie.

In 1936 werden de Spelen eindelijk in Berlijn gehouden, hoewel er weer de dreiging van een grote oorlog was. De machtshebber in Duitsland heette Adolf Hitler, een man met verschrikkelijke ideeën over hoe de wereld eruit moest zien. Wij noemen zijn politiek van toen 'nazisme'. De mensen die hem steunden waren 'nazi's' en zij begonnen drieënhalf jaar na de Spelen de Tweede Wereldoorlog. Voor een heleboel mensen was het duidelijk dat je niet naar de Spelen moest gaan als dat in een land gehouden werd waar geen vrijheid bestond, maar het IOC verkondigde dat alles in orde was.
Hitler maakte van Berlijn 1936 een etalage voor zijn afschrikwekkende ideeën. Joodse mensen waren niet meer welkom in Duitsland en dus ook niet op de Spelen. Hitler geloofde in een sterk Duits Rijk waarin ariërs – blanke, sterke mensen – het voor het zeggen hadden. Hij hield bijvoorbeeld ook niet van zwarte mensen en toen een

van hen, de Amerikaanse sprinter Jesse Owens, viermaal goud wist te winnen, negeerde Hitler de Amerikaan volledig; hij deed net alsof Owens niet zo fantastisch gelopen en gesprongen had.
De ware aard van Hitler werd steeds duidelijker. Hij nodigde wel Duitse winnaars uit in zijn privé-box in het Olympisch Stadion van Berlijn om deze mensen uitvoerig te feliciteren, maar met Owens wenste hij niet samen gezien te worden. De toenmalige voorzitter van het IOC, de Belgische graaf Baillet-Latour, was heel moedig en stuurde direct een brief naar Hitler waarin stond dat hij alleen maar als gast op dit Olympische feest aanwezig was en zich aan Olympische regels diende te houden. Als hij sportmensen wilde feliciteren, dan gold de regel: of allemaal of helemaal geen. Hitler reageerde niet. In de officiële Olympische krant van toen ging men zelfs nog een stap verder: iedere dag werden de uitslagen van alle sporten vermeld, maar de Duitsers – onder leiding van propagandaminister Goebbels – lieten expres de namen van zwarte atleten weg. Ze deden net alsof die niet bestonden.

Bracht Berlijn nog nieuwigheden? Ja, voor het eerst werd er een gesloten televisiecircuit gebruikt, zodat mensen beelden van de atletiekwedstrijden in een aantal grote sporthallen in Berlijn konden zien.
De Duitsers zorgden voor heel veel propagandamateriaal voor de nazi's en er werd op toegezien dat de drieduizend buitenlandse journalisten geen negatieve zaken over Duitsland, de nazi's en Hitler de wereld in stuurden. De perstribunes zaten altijd vol met spionnen die in de gaten hielden wat er besproken en beschreven werd.

In Berlijn hing een duidelijke sfeer van 'Deutschland über alles' (Duitsland boven alles) en de vele Olympische toeristen die in augustus 1936 naar hun landen terugkeerden, waarschuwden hun omgeving voor het gevaar van Hitler-Duitsland.
Helaas wilde de regeringsleiders van vele landen niet naar die verhalen luisteren.

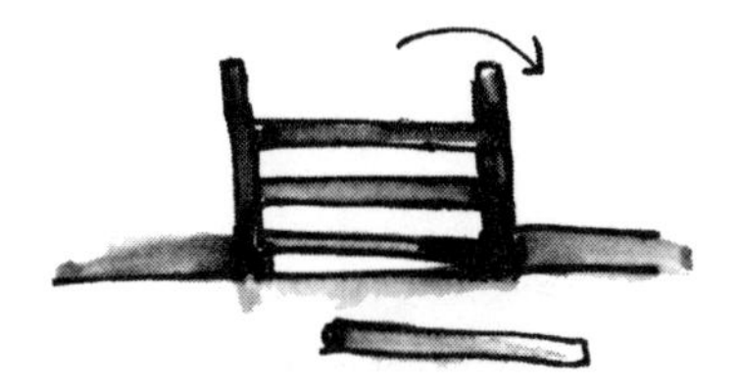

Het paardensportevenement was bij de Spelen in Berlijn een uitzonderlijk zware opgave voor mens en paard.
De bouwers van het parcours hadden een hindernis gemaakt die zo gevaarlijk en moeilijk te berijden was dat van de zesenveertig paarden die op de hindernis afkwamen er achttien vielen. Tien paarden wierpen hun berijder af en maar liefst drie paarden moesten door dierenartsen worden afgemaakt omdat ze één of meerdere benen gebroken hadden na een val.
De wedstrijd was zo zwaar dat slechts zevenentwintig van de vijftig deelnemers de finish wisten te halen. De internationale paardensportwereld sprak schande van de opzet van dit parcours. Maar de Duitse organisatoren deden of er helemaal niets aan de hand was.

De Nederlandse ploeg presteerde heel goed in Berlijn. Bij de vrouwen hadden we de beste zwemmers en op één finale na wonnen de Nederlandse meisjes alles. Een van hen, Dina Senff, won op een wel heel speciale manier de 100 meter rugslag. Na vijftig meter lag ze op kop, maar vergat met beide handen het keerpunt aan te tikken. Ze bemerkte haar fout, draaide alsnog om, zwom door en haalde vlak voor de finish landgenote Rie Mastenbroek in en won. Met twee keer een keerpunt dus, iets wat nog nooit vertoond was. Bij het hardlopen voor mannen was de Amerikaan Jesse Owens zoals gezegd de allerbeste. Als derde eindigde een Nederlander, Tinus Osendarp, die door de Duitse pers direct 'de snelste blanke ter wereld' genoemd werd. Osendarp werd in zijn latere leven een aanhanger van de verwerpelijke politiek van Hitler en zijn volgelingen. Hij werd in Nederland lid van de NSB en was dus, zoals het heet, 'fout'. In ons land werd hij niet meer als succesvolle hardloper bekeken, maar veroordeelde men zijn politieke denkbeelden en zijn doen en laten.

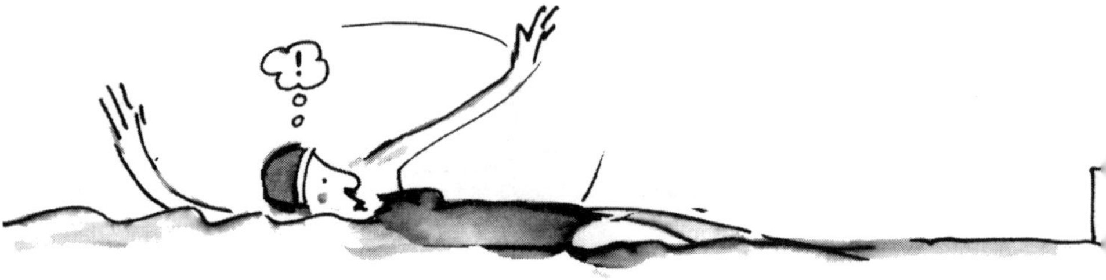

*De Deense zwemster Inge Sorensen was twaalf jaar oud toen ze in Berlijn 1936 de bronzen medaille op de 200 meter schoolslag won. Ze is daarmee de jongste sportvrouw die ooit een Olympische medaille veroverde.*

Een jaar na de Spelen van Berlijn overleed de Franse baron De Coubertin in Genève. Het IOC verloor hiermee zijn grootste stimulator, oftewel de man die het hardst geloofde in de kracht die van Olympische Spelen konden uitgaan.
De Coubertin was ook de man die, zo dacht men, de Olympische slogan had bedacht. Maar dat is niet waar. Hij heeft de woorden geleend van een geestelijke die ze uitsprak bij de opening van de Spelen in Londen, 1908. Vertaald luidde die tekst: 'Het belangrijkste bij de Olympische Spelen is niet het winnen, maar het deelnemen, zoals het belangrijkste in het leven niet de zegepraal is, maar de inspanning. Het doorslaggevende is niet het winnen, maar het aanwenden van alle krachten.' Kort gezegd komt de oorspronkelijke Olympische gedachte van De Coubertin hierop neer: 'Meedoen is belangrijker dan winnen.' Om zo'n naïeve gedachte wordt tegenwoordig gelachen.

De Spelen van 1940, toegewezen aan Japan (zomer) en Helsinki (winter) gingen niet door omdat de Tweede Wereldoorlog in alle hevigheid was uitgebroken. Hitler verklaarde aan alles en iedereen de oorlog en Italië en Japan werden bondgenoten van Duitsland. In 1939 was het IOC nog eens in vergadering bijeengekomen. Sommige mensen wilden het gevaar van Hitler-Duitsland niet zien en er werd ook al naar 1944 gekeken. Welke steden toen kandidaat waren? Detroit, Lausanne, Rome en Londen. Er werd uiteindelijk besloten de Spelen aan Londen toe te wijzen.
Na twee jaar oorlog overleed de voorzitter van het IOC, graaf Henri de Baillet-Latour. Midden in de oorlog werd

een nieuwe sterke man aangewezen: Sigfrid Edström, een man die uit Zweden kwam, precies een van de weinige landen die 'neutraal' waren in de oorlog. Neutraal wil zeggen dat men geen partij trok en dat men dus ook niet aangevallen kon en mocht worden. Nederland was in de Eerste Wereldoorlog neutraal geweest, maar was het niet in de Tweede Wereldoorlog.
In 1946, een halfjaar na het aflopen van de oorlog, werd schriftelijk besloten dat de volgende Spelen in 1948 in Londen (zomer) en St. Moritz (winter) gehouden zouden worden. Niemand dacht die dagen aan grote sporttoernooien; de hele wereldbevolking moest eerst proberen bij te komen van de verschrikkelijke oorlog.

In het Londen van 1948 waren eten, drinken en kleding nog op de bon. Dat betekende dat de Engelsen niet zomaar alles konden kopen wat ze wilden; overal had je bonnen voor nodig. Engeland had zwaar geleden onder de Duitse bombardementen en de mensen hadden het er niet makkelijk om goed te kunnen leven.
Toch werd besloten de Spelen in de Britse hoofdstad te houden en er werd bij gezegd dat het heel simpele Olympische Spelen moesten zijn. De wereld was aan het herstellen van de Tweede Wereldoorlog en de boosdoeners, de landen die de oorlog verloren hadden – Duitsland en Japan – mochten niet meedoen. Italië, dat met de tiran Mussolini toch ook heel verkeerd was geweest in de oorlog en openlijk de kant van Duitsland gekozen had, mocht vreemd genoeg wel meedoen en haalde de vijfde plaats in het landenklassement.
Op de openingsdag van de Spelen stond er een prachtige zon boven Londen te schijnen en iedereen verheugde zich

op twee heerlijke sportweken in Engeland, maar een dag later begon het te regenen en die regen hield niet meer op.
Dat was onder meer de reden dat het hele turntoernooi verplaatst moest worden. Eerst wilde men op het middenveld van het Wembley Stadion turnen, maar dat was te gevaarlijk voor de deelnemers. Het hele toernooi werd daarom verplaatst naar de kleine Empress Hall, waar zestien mannen- en elf vrouwenploegen samengepakt werden om er hun toernooien af te werken. Omdat de voorzieningen in het naoorlogse Engeland nog niet optimaal waren, moesten journalisten soms met zaklantaarns aan hun stukjes voor kranten schrijven, want licht was niet in alle stadions aangesloten.
Toch werden de Spelen wel een succes. De Engelse toeschouwers wilden graag goede sport zien en vaak zaten er meer dan tachtigduizend toeschouwers per dag in het grote stadion. Dat leverde voldoende geld op om de Spelen zelfs met een kleine winst af te sluiten.

Er was nog wel een merkwaardig incident. De Zweedse ploeg won het landenklassement bij de military. Pas een jaar later werd bekendgemaakt dat de Zweden hun medaille moesten inleveren omdat een van hun ruiters, Gehnaell Persson, geen officier in de militaire dienst was. Dat was toen namelijk voorgeschreven, en dus vond het IOC dat er vals gespeeld was. Onzin natuurlijk. Die regel werd dan ook niet lang na dit akkefietje uit de boeken geschrapt. Iedereen mocht voortaan aan de military meedoen.
Soms worden er ook door juryleden enorme blunders begaan. Bij de Spelen van Londen in 1948 werd de

Amerikaanse estafetteploeg gediskwalificeerd omdat twee sprinters elkaar het estafettestokje op onreglementaire manier zouden hebben aangegeven. Het betreffende jurylid zei heel duidelijk gezien te hebben dat de Amerikanen het gedaan hadden buiten de zone van twintig meter die officieel erkend is om te wisselen. De Engelsen kregen daardoor de gouden medaille, vóór Italië en Hongarije. De Amerikaanse lopers gingen daar niet mee akkoord. Ze protesteerden heftig, maar het jurylid bleef bij zijn beslissing: hij had het zelf gezien. Ineens riep een van de Amerikanen: 'De film!' Iedereen begreep wat hij bedoelde. Van de race was een filmopname gemaakt en alle betrokkenen moesten wachten tot die film ontwikkeld was in een Londens laboratorium.

De jury trok zich terug in een filmzaaltje en bekeek de film. Wat bleek? Het jurylid had waarschijnlijk even de andere kant opgekeken of een vuiltje in zijn ogen gehad, want de Amerikanen wisselden al na veertien meter en dat was dus zes meter voor de grens. De uitslag werd herroepen, zoals dat heet. De Amerikanen werden tot winnaar verklaard, de Britten werden tweede en de Italianen derde. De Hongaren werden het meest gedupeerd; zij moesten hun bronzen medaille inleveren en bleven met lege handen achter.
Het recht had wel gezegevierd en eens te meer bleek dat ook juryleden fouten kunnen maken.

*Londen kende de jongste mannelijke medaillewinnaar ooit: een Amerikaanse jongen van zeventien jaar die het loodzware onderdeel tienkamp wist te winnen. De jongen heette Bob Mathias en vier jaar later, in Helsinki, deed hij dat nogmaals; weer werd hij winnaar van het tienkamptoernooi. In Londen waren zijn ouders en broers toeschouwer. Ze hadden meer dan tienduizend kilometer afgelegd om het succes van hun zoon en broer te zien. Na het laatste onderdeel mocht de familie in de spelersingang wachten tot de gelukkige winnaar daar verscheen. Mathias werd later in zijn leven een beroemd politicus in Amerika. De tienkamp in Londen was overigens pas de derde waaraan hij ooit deelnam. Hij kon ook heel goed basketballen en American football spelen.*

Tijdens het zwemtoernooi deed zich een heel eng moment voor. De Deense zwemster Greta Andersen werd bij het zwemmen van de finale van de 400 meter onwel in het water. Terwijl iedereen toekeek, zonk ze naar de bodem van het zwembad. Twee dappere zwemmers die aan de kant stonden, doken het water in en haalde de vrouw naar boven waar doktoren haar nog net konden bijbrengen.

Londen 1948 werd een groot succes voor de Nederlandse atlete Fanny Blankers-Koen (zie blz. 91). De hele Nederlandse ploeg deed het trouwens goed in Engeland. Er waren vijf gouden medailles, twee zilveren en negen bronzen plakken. Dat was heel goed voor zo'n klein landje dat toch ook geleden had onder de oorlog en waar het beoefenen van sport, zo vlak na de oorlog, niet vanzelf ging.

# Betere tijden komen eraan

In 1952, toen de Spelen in de Finse hoofdstad Helsinki gehouden werden, ging het al een beetje beter met de wereld. Er was nu zeven jaar vrede, de mensen hadden weer voldoende te eten en te drinken en de Spelen van Helsinki werden ook blije Spelen. Helsinki was overigens de kleinste stad (met iets meer dan 300.000 inwoners) waar ooit de Spelen georganiseerd werden of zouden worden.
De laatste fakkeldrager in Helsinki was de held van de Spelen van de jaren twintig, de hardloper Paavo Nurmi. Hij was nu vijfenvijftig jaar oud en een echte volksheld. Men wist van hem dat hij moeilijk liep omdat hij reuma had, maar Nurmi liet zich niet kennen en rende in soepele tred over de sintelbaan. Volgens mensen die in het stadion waren, huilden heel veel toeschouwers die dit zagen; ze waren zo ontroerd dat hun oude volksheld van vroeger dit nog kon. De verrassing werd nog groter toen Nurmi de fakkel overgaf aan de man die de vlam mocht aansteken. Die man was de tweeënzestigjarige Hannes Kolehmainen, die in 1912, veertig jaar eerder dus, in Stockholm goud won voor Finland bij het hardlopen. Het publiek bleef maar klappen en velen huilden van geluk toen ze dit zagen.
In Helsinki verschenen voor het eerst sinds 1912

sportmensen uit Rusland. Ze deden mee onder de naam Sovjet-Unie en ze hadden een heel opvallende manier van leven. Net als hun (politieke) bondgenoten Bulgarije, Hongarije, Polen, Roemenië en Tsjecho-Slowakije mochten de sporters niet bij de andere atleten wonen. Er werd speciaal voor die landen een 'dorp' gebouwd. De Russische machthebbers vonden het namelijk niet goed dat hun sportmensen uitgebreid contact hadden met Westerlingen. In feite was dat het begin van wat we later de 'Koude Oorlog' zouden noemen, de machtsstrijd tussen de Sovjet-Unie en haar bevriende staten tegenover het vrije Westen, oftewel de rest van de wereld. Wij, Nederland, hoorden ook bij dat vrije Westen.

De grote man van de Spelen was de Tsjechische hardloper Emil Zatopek, die op indrukwekkende wijze drie zware nummers won: de 5000 meter, de 10.000 meter en ook nog de marathon. Het leuke was dat zijn vrouw Dana kampioene discuswerpen werd.
Er zijn mensen die de prestaties van Zatopek tot de allergrootste ooit in de Olympische geschiedenis hebben benoemd. De hardloper leek niet kapot te krijgen. Binnen

acht dagen liep hij tweemaal de 5 kilometer (serie en finale), tweemaal de 10 kilometer (serie en finale) en de marathon. Dat betekende dat hij meer dan 72 kilometer in wedstrijdvorm liep binnen 192 uur. Tijdens de marathon was hij nog zo opgewekt en fris dat hij onderweg met andere deelnemers en hem begeleidende politiemensen (die naast hem op een fiets reden) sprak. Wat de Olympische bezoekers ook van Helsinki in de zomer leerden, was dat de dagen heel lang en de nachten heel kort waren. Net zoals in Stockholm (1912) konden er wedstrijden tot laat in de avond gehouden worden. Dit verschijnsel heet midzomernacht en het komt voor in landen en plaatsen die dicht bij de noordpool liggen.

*Bij de officiële opening van de Spelen van 1952 in Helsinki gebeurde iets vreemds en onverwachts. Terwijl tienduizenden mensen zaten te kijken, liep ineens een jonge vrouw, gekleed in een wapperende, witte jurk over de sintelbaan. Vele mensen dachten dat haar optreden onderdeel van de openingsfeesten was, maar dat bleek niet zo te zijn.*
*Ze klom op het podium waar een microfoon stond en riep 'Peace' (Engels voor 'vrede'), maar toen werd ze vastgegrepen door een Finse official.*
*De jonge vrouw bleek een Duitse te zijn die een beetje in de war was. Ze had de wereld graag 'vrede' namens het Duitse volk willen aanbieden, verklaarde ze na afloop.*
*Een Engelse journalist die schreef dat hij de hele actie wel leuk en speels vond, werd ook enige uren vastgehouden door de Finse politie. Ze dachten dat hij samenwerkte met de jonge vrouw, die over de hele wereld 'Angel of Peace' werd genoemd, oftewel vredesengel.*

Vier jaar later koos het IOC voor een heel andere stad: Melbourne in het verre Australië. Het was voor het eerst in de geschiedenis dat de Spelen gehouden werden in een land en stad die onder de evenaar lagen. Dat was ook de reden dat er in 'onze' winter aan sport gedaan werd. Voor vele sportlieden was dat iets nieuws; ze moesten nu in november en december in topvorm zijn.

Het IOC had inmiddels een nieuwe baas. De Zweed Edström was na Helsinki afgetreden en de strenge Amerikaan Avery Brundage was nu Olympisch opperhoofd geworden. Hij was een norse, bazige man die erg voor amateursport was en die de idealen van het IOC altijd verdedigde, zelfs tegen beter weten in.
In 1956 dreigde weer een oorlog in de wereld uit te breken. De Sovjet-Unie was Hongarije binnen gevallen en dat was reden voor de Zwitserse, Spaanse en Nederlandse regering om de Spelen te boycotten. Het gekke was dat de Hongaren zelf wel naar Australië reisden.

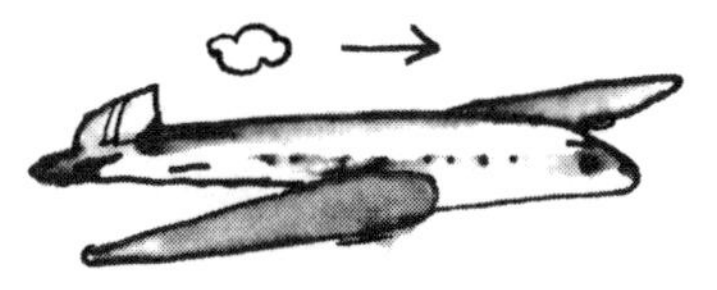

Er waren al vier Nederlandse sportmensen in Melbourne aan het trainen toen bekendgemaakt werd dat de Nederlandse ploeg zich terugtrok. Een van hen was Eef Kamerbeek, een goede tienkamper. Hij herinnert zich dat moment nog heel goed: 'We moesten naar Amsterdam terugvliegen en ons vliegtuig vloog over het Olympisch

Stadion waar net de openingsceremonie begonnen was. We konden het van bovenaf zien en hadden allemaal de pest in, dat kun je wel begrijpen.'

*De Australische wetten voor het invoeren van levende dieren waren heel streng. De Australische regering wilde geen dierenziektes importeren en daartoe moesten alle dieren die binnenkwamen zes maanden in quarantaine geplaatst worden. Ze werden in apart afgelegen en goed van de buitenwereld afgeschermde stallen ondergebracht. Daarna werd gekeken of er geen dierenziektes voorkwamen en pas dan werden de dieren vrijgegeven.*
*Omdat de ruiters natuurlijk niet zes maanden hun paarden konden afstaan, werd besloten de ruiterspelen van dat jaar in het Zweedse Stockholm te laten plaatsvinden, van 10 tot en met 17 juni. Er deden honderdvijfenveertig mannen en dertien vrouwen mee en die kwamen uit negenentwintig verschillende landen.*

In het waterpolotoernooi kwamen de Sovjets en Hongarije tegenover elkaar in het water te liggen. Het werd de hardste en gemeenste wedstrijd ooit. Diverse spelers moesten met bloedende wonden naar de kant en bij de stand 4-0 voor Hongarije werd de wedstrijd door de scheidsrechters gestaakt. Hongarije kreeg de gouden medaille toegewezen. Vele ooggetuigen vermeldden dat het water rood van het bloed zag.
Er was nog een internationaal incident op politiek vlak waar de Spelen onder te lijden hadden. Er heerste de zogeheten Suez-crisis. Frankrijk en Engeland hadden ingegrepen bij een conflict tussen Israël en Egypte en

daarom kwamen de sportlieden van Egypte en Libanon als protest niet opdagen. Ook communistisch China stuurde geen sportlieden omdat het kleine eiland Taiwan (dat ook wel nationalistisch China genoemd werd) wel mocht aantreden in Australië.
Ondanks al deze politieke dingen werden de Spelen van Melbourne ook wel de familie-Spelen genoemd, omdat veel Australische families naar Melbourne reisden om daar de sportlieden van over de hele wereld te zien.
Twee van die sportlieden, de Amerikaanse kogelslingeraar Harold Connolly en de Tsjechische discuswerpster Olga Fikotova, werden in Melbourne verliefd op elkaar.

Ondanks het feit dat er sprake was van de Koude Oorlog besloten de twee te trouwen. Ze deden dat in maart 1957 met hardloper Emil Zatopek als getuige.
Het was voor het eerst dat de sporters uit de Sovjet-Unie het medailleklassement aanvoerden. De Amerikanen hadden ditmaal het nakijken; ze hadden vierentwintig medailles minder.
In Melbourne werd voor het eerst de sluitingsceremonie gedaan zoals wij die tegenwoordig kennen: alle

deelnemers door elkaar in een groot feest. Het was het idee van een Australische schooljongen die zijn gedachten had opgeschreven en naar de organisatoren had gestuurd.

Vier jaar later, in het Italiaanse Rome, waren de Sovjets nog machtiger. Weer moest sportgrootmacht Amerika toekijken hoe de Sovjets met veel meer medailles naar huis gingen. Vanaf deze jaren werden de Spelen ook een echte wedstrijd tussen Amerika en Rusland. Iets later zouden ook West- en Oost-Duitsland zich onderling gaan meten; voor landen die elkaar op politiek vlak beconcurreerden, was sport ook een middel geworden om aan te tonen 'wie de beste was'.
In Rome kon voor het eerst in de geschiedenis de hele wereld rechtstreeks meekijken omdat de televisie heel veel uitzond. Het was wel gek dat er in Rome gesport werd, want was het niet de Romeinse keizer Theodosius geweest die ruim 1500 jaar eerder de Olympische Spelen verboden had? Het was ook opvallend dat de Italiaanse hoofdstad nu pas de Spelen toegewezen kreeg; al in 1908 had men geprobeerd de Spelen naar Italië te halen.
Bij deze Spelen haalde de Noor Peter Lunde de gouden medaille bij het zeilen in de Flying Dutchman-klasse. Zijn opa had datzelfde gedaan in 1924 en zijn ouders hadden zilver gewonnen in 1952.
In Rome bokste een Amerikaan die later heel beroemd zou worden. Hij heette Cassius Clay en hij was goed, sterk en brutaal. Hij won goud in het halfzwaargewicht. Later zou de man zijn naam veranderen in Mohammed Ali en een van de beroemdste sportmensen ooit worden. In 1996, in Olympisch Atlanta, droeg hij de Olympische vlam, hoewel hij inmiddels de ziekte van Parkinson had en zich

niet makkelijk meer kon bewegen.
Ook een beroemde man bij deze Spelen werd de hardloper Abebe Bikila uit Ethiopië, een arm land in het oosten van Afrika. Bikila rende de 42 kilometer en 195 meter op zijn blote voeten, iets wat nog nooit vertoond was. Na afloop vertelde hij via een tolk dat hij altijd op zijn blote voeten trainde en dat hardloopschoenen hem niet lekker zaten. En er was nog iets bijzonders. Zijn vader, zo vertelde Bikila, was soldaat geweest in de oorlog en had gevochten tegen de Italianen. En uitgerekend in Italië kwam hij revanche nemen.
Bij het atletiektoernooi voor vrouwen wonnen de sovjets zesmaal goud, maar de echte 'heldin' kwam uit de Verenigde Staten. Een negentienjarig meisje dat Wilma Rudoph heette, sprintte zo goed (100 meter, 200 meter en estafette) dat ze driemaal goud won. Haar verhaal werd helemaal internationaal bekend toen duidelijk werd dat ze als klein meisje kinderverlamming had gehad en daardoor mank had gelopen.
In Rome schreven journalisten over haar dat ze zich voortbewoog als 'een gazelle', zo mooi en sierlijk!
Voor Zuid-Afrikaanse atleten was het de laatste maal dat ze toegelaten werden tot de Spelen. Vanwege hun apartheidspolitiek mochten ze tot 1992 niet meer meedoen.
En wat de Nederlandse ploeg betreft: we konden slechts juichen om drie medailles, alledrie bij het zwemmen behaald. Het gekke was dat het op één dag gebeurde en ook nog binnen een kwartier tijd. Marianne Heemskerk, Tineke Lagerberg en Wieger Mensonides wonnen allen brons.

*Tijdens de wielerwedstrijd van Rome (1960) was het heel warm. De overwinning ging naar de Rus Viktor Kapitanov, die later in zijn leven de baas van alle Russische wielrenners werd, maar zijn naam werd die dag niet zo vaak genoemd als die van de Deense wielrenner Knud Jensen.*
*Jensen reed, achtergelaten door de anderen, een tijdje alleen en vooral zwalkend over de puffend hete en droge weg en viel toen ineens in de berm.*
*Begeleiders snelden toe en probeerden de Deen weer op zijn fiets te krijgen, maar ineens zagen de mensen wat er gebeurd was: Jensen lag dood in het gras.*
*Later zou bekendgemaakt worden dat hij doping gebruikt had en dat die verboden stoffen in zijn lichaam ervoor gezorgd hadden dat zijn hart steeds sneller ging kloppen en het ineens begaf. Jensen was de eerste deelnemer tijdens de Olympische Spelen die tijdens een wedstrijd aan een dosis doping overleed.*

Vier jaar later werden de Spelen voor het eerst in Azië gehouden. Japan wilde een goed figuur slaan voor de hele wereld en voor een geweldig bedrag werden er nieuwe stadions, wegen, vliegvelden, stations, huizen en hotels gebouwd. In Tokio werd de hele infrastructuur, zoals dat met een mooi woord heet, aangepast.
De Spelen werden al snel de 'Happy Games' genoemd, de 'Vrolijke Spelen' dus. De Japanners deden er werkelijk alles aan zo vriendelijk en gastvrij mogelijk over te komen op de Olympische wereld en de honderdduizenden die naar Japan afreisden. In Europa keken drieëntwintig landen rechtstreeks mee via de televisie. Japan wilde dus goed overkomen bij de rest van de wereld en niets moest herinneren aan het Japan dat in de Tweede Wereldoorlog zulke vreselijke dingen tegen de mensheid had gedaan.

Dat lukte ook. Het werden inderdaad vrolijke Spelen met heel goede sportprestaties. Judo en volleybal kwamen voor het eerst op het programma en in een van de judotoernooien (bij de zwaargewichten) won de Utrechtenaar Anton Geesink de gouden medaille.
Dat was een grote verrassing omdat Japan het thuisland van judo was en Geesinks tegenstander, Akio Kaminaga, de favoriet was voor de titel. Niemand leek van die Japanner te kunnen winnen. Tot de 1,98 meter grote en zware Geesink hem in een houdgreep nam. De Japanner kon zich niet meer bewegen en Geesink was Olympisch kampioen, terwijl heel Japan triest was dat Kaminaga niet gewonnen had.

Geesink werd held van de Spelen en is tot op de dag van vandaag een graag geziene gast in Japan. Hij is in dat land zelfs beroemder dan in Nederland. Dat komt misschien ook wel doordat hij na zijn sportloopbaan iets ging doen waar wij Nederlanders niet veel mee hebben: Geesink werd sportbestuurder en lid van het IOC. Als bobo – zo noemen we die sportbestuurders vaak – zei of deed hij nog wel eens dingen waar wij in Nederland van opkeken. Toch is zijn sportieve prestatie uit Tokio 1964 geweldig.

De marathonloper uit Ethiopië, Abebe Bikila, was er ook weer, maar ditmaal liep hij op schoenen. Hij won weer en deed na afloop van zijn prachtige race enkele vreemde gymnastische oefeningen waar de hele wereld een beetje om moest lachen. Toch was deze tweede medaille een verrassing. Vijf weken voordat Bikila in Tokio liep lag hij namelijk in een ziekenhuis voor een operatie aan zijn blindedarm. Twee weken na de operatie trainde hij alweer; hij voelde gewoon geen pijn.

Er was trouwens nog een atleet die niet voor pijn wilde wijken. De Amerikaanse discuswerper Al Oerter had al in Melbourne en Rome gewonnen, maar hier maakte hij weinig kans omdat hij tijdens het toernooi behoorlijk geblesseerd raakte. Helemaal in het verband en met pijnstillende injecties besloot hij toch mee te doen... en hij won!

Don Schollander, een pas achttienjarige zwemmer uit Amerika, verbaasde de sportwereld ook. Hij had bedacht dat een zwemmer sneller door het water zou gaan als die zijn haren afschoor. Er waren al wel zwemmers die hun

borst- en beenharen afschoren, maar Schollander ging een stap verder. Vlak voor het begin van het zwemtoernooi liet hij zijn mooie, blonde lokken van zijn hoofd afscheren. Of het succes had? Jazeker! Schollander won vier gouden medailles in één week.
Vanaf dat moment zag je heel voorzichtig de kale koppen in de mannenzwemwereld naar voren komen. Kaal was niet alleen hip, maar het hielp ook nog.
De Australische ploeg had een heel bijzondere zwemster in hun midden: Dawn Fraser, een hartstikke leuke en eigenwijze meid. Ze had bijvoorbeeld geen zin om deel te nemen aan de openingsceremonie omdat ze de volgende ochtend moest zwemmen, dus ze ging niet. Omdat het zwempak dat ze van de Australische bond had gekregen haar niet lekker zat, trok ze haar eigen zwempak aan. Daar was men boos over. En ze deed ook iets wat heel veel Olympische atleten doen: ze probeerde een Olympische vlag te pikken. Toen ze op strooptocht was, werd ze gesnapt door de politie en meegenomen naar het politiebureau.
Of het erg is een vlag te pikken? Het mag natuurlijk niet, maar vraag het maar eens aan mensen die naar de Spelen zijn geweest. Heel veel van hen hebben geprobeerd een Olympische souvenir te scoren. De zevenentwintigjarige Fraser kon wel heel goed zwemmen; in Australië is ze jarenlang een grote beroemdheid gebleven.

# Politieke invloed steeds groter

In 1968 waren de Spelen voor het eerst in een Spaanssprekende omgeving: in Mexico, het land dat onder de Verenigde Staten ligt. Er zou gesport worden in Mexico City, de hoofdstad. Dat zou nog wel eens voor problemen kunnen gaan zorgen omdat die stad op maar liefst 2245 meter hoogte ligt en dat is ongezond voor sportmensen. Doordat de lucht daar ijl is, krijg je sneller problemen met het ademen en zoiets voel je natuurlijk helemaal als je aan sport doet.
Eerst was er nog sprake van een boycot toen zo'n veertig landen uit Afrika boos werden omdat Zuid-Afrika misschien weer mocht deelnemen. Maar het IOC bedacht zich: Zuid-Afrika was geen goed land en mocht niet meedoen. Toch was 1968 op politiek gebied een roerig jaar. De Russen vielen Tsjecho-Slowakije binnen en dat zorgde voor internationale spanning. Vlak voor de Spelen in Mexico begonnen was er een grote protestdemonstratie in de stad waarbij de politie met scherp schoot en er wel veertig mensen doodgeschoten werden.
Het was ook de tijd dat de zwarte mensen in de Verenigde Staten voor hun rechten opkwamen en dus deden Amerikaanse zwarte atleten dat ook, zeer tegen de wil in van de organisatoren en de bazen van het

Amerikaans Olympisch Comité.
Toen een aantal hardlopers de ‘zwarte panter’-groet bracht (ze deden een zwarte handschoen aan en staken hun arm met de gebalde vuist omhoog in de lucht) werden ze geschorst en moesten ze direct naar huis.

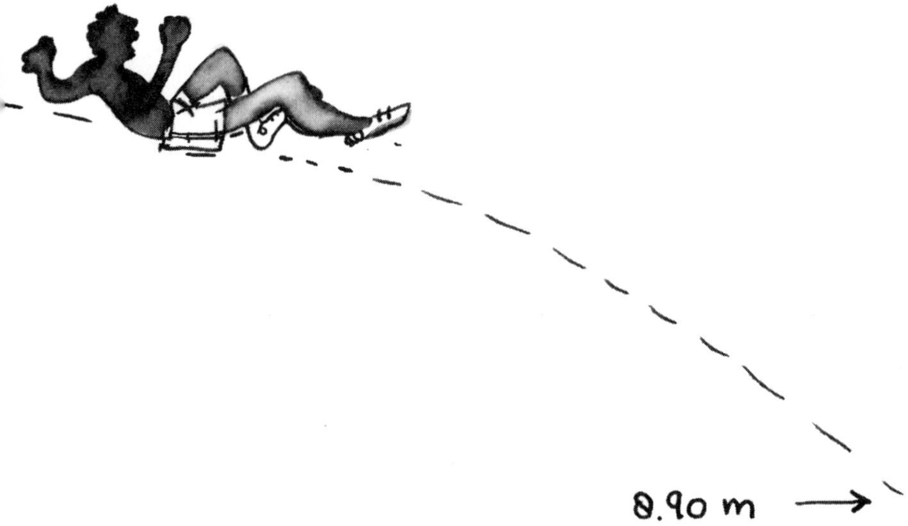

Een van de zwarte atleten was verspringer Bob Beamon. Hij bracht geen zwarte-pantergroet, maar verbaasde de wereld met een machtige sprong die, goed nagemeten, 8,90 meter ver was. Zo ver had nog nooit iemand gesprongen en men zei dat het kwam doordat de lucht in Mexico City zo ijl was; Beamon zou dus niet zo veel tegendruk van de lucht hebben gehad. Met die sprong werd de Amerikaan voor de volgende dertig jaar een wereldberoemde sportman; pas na die tijd werd zijn record verbeterd.
De Nederlandse ploeg had een stralende winnares: de zwemster Ada Kok uit Amsterdam. Ze won de 200 meter

vlinderslag en werd daarna gehuldigd door prinses Irene, de jongere zuster van koningin Beatrix. Toen de twee vrouwen tegenover elkaar stonden waren ze allebei zo blij dat ze elkaar op de wang kusten. Dat een prinses een sportvrouw van blijdschap omhelsde was nog nooit voorgekomen bij een huldigingsceremonie.

Heel apart in Mexico was het optreden van de Amerikaanse hoogspringer Dick Fosbury. Hij had een nieuwe sprongtechniek bedacht, die hij de Fosbury-flop noemde. Hij liep heel hard op de lat af en ging eerst met zijn hoofd en rug over de lat en toen pas met zijn benen. Dat was heel bijzonder; nog nooit had iemand dat gezien. De strijd tussen Amerika en de Sovjet-Unie werd ditmaal gewonnen door de Amerikanen: zij gingen met meer medailles naar huis.

In 1972 kwamen de Spelen weer naar Duitsland, München dit keer. De Duitse regering had gezegd dat er alles aan gedaan zou worden om de 'slechte' Spelen van Berlijn 1936 te vergeten. Geen politiek dus, maar helaas, helaas. Deze Spelen werden wel heel triest omdat als sportlieden verklede Arabische mannen het Olympisch dorp binnen drongen en twee Israëlische sportmensen doodschoten. Hiermee wilden ze protesteren tegen de manier waarop de Palestijnen door Israël werden behandeld. Ze namen ook negen andere Israëlische Olympiërs gevangen. 's Nachts, op weg naar een vliegtuig dat klaarstond, ontstond er een schietgevecht tussen de Duitse politie en de Arabische boeven en hun gevangengenomen sportmensen. Hierbij werd bijna iedereen gedood.

De volgende dag lagen de Spelen stil en werd er getreurd om de elf Israëlische doden. Heel even leek het erop dat de Spelen verder afgelast zouden worden, maar de strenge Avery Brundage verklaarde heel plechtig: 'The Games must go on', oftewel: 'De Spelen moeten doorgaan'. Hoewel dat voor heel veel sportmensen moeilijk was, gebeurde dat toch. Er waren sporters die naar huis wilden en dat ook deden en er werd gesproken of je nog wel aan sport kon doen na zoiets vreselijks.
Door die enorm spannende toestanden in München kreeg het grote publiek een heel aparte kijk op die Olympische Spelen. Sportmensen die Olympisch goud haalden en in het nieuws zouden moeten komen, werden nauwelijks bekend omdat er in München alleen maar over de aanslag van de Arabieren gesproken werd. De Nederlandse wielrenner Hennie Kuiper en judoka Willem Ruska bijvoorbeeld kregen lang niet de eer die hun eigenlijk toekwam. Ruska won in München zelfs tweemaal goud en dat was de beste prestatie ooit van een Nederlander in het judotoernooi. Toch werd Ruska niet zo beroemd als zijn voorganger Anton Geesink, die in 1960 maar één keer goud had gewonnen. Hij had de pech dat zijn zeges in de dagen rond de aanslag vielen.
De Amerikaanse zwemmer Mark Spitz deed iets wat nog nooit iemand bij de Spelen was gelukt: hij won zeven gouden medailles. Hij deed dat vier keer alleen en drie keer in een Amerikaanse estafetteploeg. En het was nog specialer dat hij op iedere afstand die hij won een nieuw wereldrecord en een Olympisch record zwom. Spitz werd later een beroemde Amerikaan die filmster had kunnen worden, maar hij werd tandarts. Nog altijd

houdt hij lezingen over wat hij in 1972 allemaal heeft meegemaakt.
De Sovjets overvleugelden de Amerikanen in het medailleklassement en Oost-Duitsland behaalde meer medailles dan West-Duitsland; iets wat in gastland West-Duitsland natuurlijk pijn deed.

*Tijdens de Spelen van 1972 vond het zeiltoernooi plaats in de Noord-Duitse stad Kiel, niet ver van de Deense grens. Om foto's van de zeilwedstrijden snel bij zijn krant te krijgen, vond de Deense fotograaf Hans Bolcko een wel heel speciale truc uit. Hij fotografeerde vanaf een boot op zee. Als hij moest wachten tot het moment dat die boot weer aangemeerd was in Kiel, was hij te laat met zijn foto's. De Deen had daar het volgende op bedacht: hij nam twee postduiven mee aan boord. Als hij een rolletje vol had geschoten, bond hij dat kokertje aan de poot van een van de duiven, die hij dan losliet.*
*De duiven vlogen pijlsnel naar een klein stadje, vlak over de Duits-Deense grens, waar zijn foto's snel ontwikkeld en naar de krant doorgestuurd werden. Zeilen is altijd een belangrijke Olympische sport voor de Denen geweest en Bolcko bewees hoe slim een mens kan zijn. Het was bijna een Olympische medaille waard.*

Vier jaar later, in 1976, werden de Olympische Spelen in het Canadese Montreal gehouden. In dat jaar dreigde weer een grote crisis. Omdat de Nieuw-Zeelandse rugbyploeg (niet eens een Olympische sport) op bezoek was geweest in Zuid-Afrika, zeiden de leiders van bijna alle Afrikaanse landen dat Nieuw-Zeeland gestraft

moest worden en niet in Montreal mee mocht doen.
Maar het IOC, nu met lord Killanin als voorzitter – een aardige, rustige Ier – liet Nieuw-Zeeland wel toe met als gevolg dat de atleten van alle Afrikaanse landen wegliepen.
Dat gebeurde wel erg letterlijk: alle deelnemers waren al in de Canadese stad en ineens gingen sporters van drieëntwintig Afrikaanse landen weer naar het vliegveld. Het werd daar natuurlijk een chaos. Logisch dat de Spelen ook op sportief terrein verloren gingen door die actie. Alle goede hardlopers uit Afrika deden immers niet mee.

*Basketbal voor vrouwen werd voor het eerst in Montreal in 1976 gehouden. De Amerikaanse ploeg was favoriet voor de gouden medaille, maar de Sovjet-Unie won. In die ploeg speelde een vrouw die je niet kon missen: Uliana Semjonova ('Sammy' voor haar vrienden). Ze was twee meter achttien lang, stak ver boven de andere speelsters uit en kon de bal bijna in de basket leggen. Ze was niet alleen groot, maar ook zwaar (ze woog wel honderdvijfendertig kilo) en niemand kon haar tegenhouden als ze de bal in de buurt van de basket ving. Mede door haar scores wist de Russische ploeg vrij makkelijk de finale van de Verenigde Staten te winnen: 122-77, een van de grootste zeges ooit in het basketbaltoernooi.*

De Spelen van Montreal zijn verder de geschiedenis ingegaan als de Spelen van de Grote Schulden. Toen de Canadezen de plannen indienden voor de bouw van het grote Olympisch Stadion zou dat gebouw 100 miljoen dollar gaan kosten. Maar toen het gebouw afgeleverd werd, waren de kosten opgelopen tot 700 miljoen dollar. De burgemeester van Montreal, Jean Drapeau, kreeg de schuld van dit alles en trad later als een gebroken man af. De Canadezen hebben tot 2002, dus meer dan vijfentwintig jaar, aan de grote schulden moeten meebetalen.

In Montreal was een Roemeense turnster die Nadia Comanecci heette. Zij was de eerste turnster die een 10 kreeg als eindcijfer. Een Russische turner, Nikolaj Adrianov, kwam met zeven medailles thuis (vier gouden, twee zilveren en één bronzen) en in het Olympisch zwembad waren er twee mensen die vier gouden medailles wonnen: de Oost-Duitse Kornelia Ender en de Amerikaan John Naber.
Een aardige toevalligheid was dat in het roeitoernooi twee broederparen de gouden medaille wonnen. De Noorse broertjes Alf en Frank Hansen in de dubbeltwee en de Oost-Duitse broertjes Bernd en Jorg Landvoigt in de twee-zonder-stuurman. De laatste twee waren ook nog eens een tweeling!

*In de gehele geschiedenis van de Spelen zijn er behoorlijk wat familieleden geweest die meegedaan hebben. In Nederland bijvoorbeeld de hockeyers Roepie (de vader) en Ties, Hans en Jan Hidde (de zonen) Kruize. De vader deed mee in 1952 en de zonen in 1984 (alledrie) en 1988 (Jan Hidde). Bij de Hongaarse waterpoloploeg kenden we zelfs een vader-zooncombinatie die goud wist te winnen. Vader Szivos won goud in 1952 en 1956; zoon Istvan kwam in 1976 met de gouden medaille uit de Spelen. En ook vader en zoon Nemeth wonnen voor Hongarije goud. De vader in 1948 bij het kogelslingeren en de zoon in 1976 bij het speerwerpen.*

Bij deze Spelen deden ook verhalen de ronde over sportmensen die doping gebruikten, zogenaamde spierversterkende middelen. Dat is natuurlijk verboden, maar in sommige landen ging men heel slim met doping in de sport om en konden de atleten niet betrapt worden als ze gecontroleerd werden.
Hoe zo'n controle gaat? De sporter, man of vrouw, moet in een potje plassen. In een laboratorium wordt dan onderzocht of in die plas nog sporen van doping te vinden zijn.
Omdat het ook dat jaar weer een hele strijd tussen Amerika en Rusland was (de Sovjet-Unie won uiteindelijk dik en zelfs Oost-Duitsland had meer gouden medailles dan de Verenigde Staten) werd er in het Westen al snel verteld dat de sportmensen uit de communistische landen (Rusland en zijn bondgenoten) doping gebruikten. Dat was heel kinderachtig. Sportmensen uit het Westen namen ook doping, stiekem, maar daar werd niet over gesproken.

In 1980 werden de Spelen voor het eerst in Rusland gehouden, in de hoofdstad Moskou. En weer verstoorde een grote politieke rel het sportfeest.
De Sovjets waren Afghanistan binnen gevallen en hadden er veel militairen gestationeerd. De Amerikaanse president Jimmy Carter deed toen iets wat nog nooit was gebeurd: hij riep de vrije wereld op om alle atleten die naar Moskou zouden gaan, thuis te houden. Het gevolg was dat de Amerikaanse ploeg niet naar Moskou afreisde en datzelfde gebeurde met de teams van Japan, West-Duitsland, Canada en China. Hierdoor werden de Spelen op sportief gebied ineens veel minder waard.
De toenmalige minister-president van Nederland, Dries van Agt, liet aan de Nederlandse sportbonden zelf over wat ze met hun sportmensen deden. Zo gingen de hockeyploegen (dames en heren) en de ruiters niet, maar de hardlopers en wielrenners wel.
Veel sportmensen die zich erg op de Spelen van Moskou hadden verheugd en die dat jaar goed in vorm waren, hebben het altijd jammer gevonden dat ze om politieke redenen niet de kans kregen om naar de Spelen te gaan. Ze worden wel de 'vergeten Olympische generatie' genoemd.
Zonder Amerika, Canada en West-Duitsland werden het dus Spelen met vaak winnaars uit de Oostbloklanden. De Russen zelf wonnen bijzonder veel, honderdvijfennegentig medailles, terwijl de kleine Nederlandse ploeg niet erg succesvol was met twee bronzen medailles en één zilveren. Die zilveren medaille was voor marathonloper Gerard Nijboer, die heel goed presteerde en nog altijd een sportieve held in ons land is. Later werd hij ook nog Europees kampioen marathon lopen.

Omdat de Russische politie heel streng optrad tijdens de Spelen, werden het geen vrolijke Spelen. De meeste mensen waren blij dat ze na afloop weer naar huis konden.
De boycot en de gevolgen daarvan voelde je overal en altijd door alles heen.

Daarom verheugde de internationale sportwereld zich heel erg op de Spelen van 1984 in Los Angeles. Daar, in het mooie weer van het rijke Californië, zouden de beste sporters ter wereld elkaar dus treffen. Maar weer lukte dat niet. Ditmaal waren het de Russen die niet op kwamen dagen. En met de Russen bleven ook een heleboel Oostblokploegen en sommige communistisch geleide landen uit Afrika en Azië weg.
Was er een directe aanleiding voor?
De Russen zeiden dat ze er niet zeker van waren dat al hun sportmensen in het rijke en showachtige Los Angeles goed beschermd zouden worden, maar dat was natuurlijk een smoesje. Het niet verschijnen van meer dan vierentwintighonderd topsporters was een revanche voor de boycot van de Amerikanen van vier jaar eerder.
Er was een Oostblokland dat zich niets aantrok van wat het machtige Rusland deed: Roemenië. Zij stuurden hun sportmensen wel en ze kregen overal veel applaus, net zoals de Chinezen die voor het eerst sinds 1932 (toen de Spelen ook in Los Angeles werden gehouden) weer meededen en ook behoorlijk wat medailles wonnen.
Maar het meeste applaus kregen de Amerikanen. Zoveel zelfs dat een heleboel mensen zich ergerden aan de manier waarop de Amerikaanse toeschouwers en ook de Amerikaanse televisie zich gedroegen. Het leek haast wel of de Spelen alleen voor de Amerikanen georganiseerd

waren. De nieuwe Olympische baas, de Spanjaard Juan Antonio Samaranch, moest er persoonlijk aan te pas komen om de Amerikanen erop te wijzen dat de Spelen voor iedereen waren. En dat de rest van de wereld ook andere sportmensen op de televisie wilde zien. Met veel kritiek noemde men de Spelen van Los Angeles ook wel de McGames. Hiermee wilde men de vergelijking maken met McDonald's, de hamburgergrootmacht die ook sponsor van de Spelen was.

*Bij de Spelen van 1984 in het Amerikaanse Los Angeles werd voor het eerst een kleine vorm van sponsoring toegestaan. De Olympische beweging had tot dat moment altijd volgehouden dat Olympische sport niets met geld te maken mocht hebben, maar omdat de wereld veranderde, werden ook de Olympische wetten wat soepeler toegepast. Het Olympisch zwembad van Los Angeles werd bijvoorbeeld gesponsord door McDonald's. Als je goed naar de televisiebeelden kijkt, zie je bij de Olympische Spelen ook geen reclameborden langs de baan staan. Dat is verboden. Ook op de rug- en borstnummers staat geen reclame-uiting, zoals dat wel gebeurt bij wereldkampioenschappen. Eigenlijk is het Internationaal Olympisch Comité heel ouderwets in dat opzicht.*

Sportief gezien werden het heel goede Spelen, ook voor Nederland. De dameshockeyploeg werd Olympisch kampioen, net zoals discuswerpster Ria Stalman, windsurfer Stephan van den Berg en de zwemsters Jolanda de Rover en Petra van Staveren.
In de finale van het hockeytoernooi deed zich nog een

heel bijzonder moment voor. Reservespeelster Martine Ohr (de jongste speelster van de ploeg) had nog geen seconde in het veld gestaan, maar in de regels staat dat je geen recht hebt op een eventuele medaille als je niet gespeeld hebt.
Dus zette de hockeycoach vlak voor het einde van de finale Martine nog snel in het veld en had zij, samen met haar feestvierende teamgenoten, ook recht op de gouden Olympische medaille.

In Los Angeles gebeurde er nog iets opvallends. Er was een vrouw die uit Marokko kwam, Nawal El Moutawakel. Toentertijd (en eigenlijk nog steeds) was het vrij ongebruikelijk dat vrouwen uit de Arabische wereld aan topsport deden. Deze trotse, mooie vrouw deed dat dus wel en ze won de gouden medaille bij de 400 meter horden. Een uur later had ze al een gelukstelegram van haar koning, Hassan II, ontvangen. Hij noemde haar een groot voorbeeld voor iedere Marokkaanse vrouw.

*In 1968 werd voor het eerst de zogeheten seksetest afgenomen. De vrouwen en meisjes die aan de Spelen wilden meedoen, werden onderzocht of ze wel werkelijk vrouw waren. Dat gebeurde op eenvoudige wijze. Een dokter nam een beetje speeksel en een klein stukje uit de binnenkant van de mond van de sportvrouw en dan werd in een laboratorium gekeken of dat vrouwelijke eigenschappen bevatte.*

*Waarom die test ingevoerd werd?*
*Al jaren gingen er geruchten dat er vrouwen waren geweest die eigenlijk een beetje man waren. In 1936 had Dora Ratjan in Berlijn als Duitse atlete meegedaan bij het hoogspringen. Veel later werd bekend dat Ratjan een man was die het prettig vond om als vrouw door het leven te gaan. In een later leven deed hij trouwens weer gewoon mee bij mannenwedstrijden.*
*Ook bekend is het optreden van de Poolse Eva Klobuskovska, een goede sprintster die in 1964 goud en brons won en die een man bleek te zijn. Stella Walasiewicz, eveneens uit Polen, was ook zo'n beroemd geval in de sportwereld. Als vrouw won ze goud en zilver op de Spelen van 1932 en 1936, maar bij haar begrafenis bleek ineens dat ze een man was!*

Wat vrouwensporten betreft: in Los Angeles mochten vrouwen voor het eerst de marathon lopen, de wegwedstrijd fietsen en aan de zevenkamp meedoen. Dat betekende dat de internationale sportwereld de vrouw toeliet in 'duursporten', sporten die dus lang duurden en die lichamelijk heel zwaar waren. Zo zwaar zelfs dat de Zwitserse Gabrielle Andersen-Schweiss wankelend en half vallend het stadion binnen kwam in de marathonrace. Iedereen in de wereld kon via de televisie de beelden zien van deze vrouw die nauwelijks nog op haar benen kon staan. De Zwitserse loopster was zo moe en uitgedroogd door de hitte dat haar spieren nauwelijks nog werkten. Ze zwalkte over de baan alsof ze dronken was en viel over de finishlijn. Ze werd uiteindelijk zevenendertigste. Televisiebeelden van haar laatste meters worden nog steeds vertoond. Het is bijna eng om ernaar te kijken.

De ongekroonde koning van de Spelen werd de Amerikaanse sprinter en verspringer Carl Lewis (zie blz. 91) die zo makkelijk en onbedreigd won dat het soms niet eens meer leuk was voor de anderen. Hij bracht zijn landgenoten tot grote vreugde waardoor ze allemaal heel vrolijk met Amerikaanse vlaggetjes gingen zwaaien.
Niet alle Amerikaanse overwinningen waren knap. Later werd bekend dat de Amerikaanse wielrenners allemaal aan 'bloeddoping' hadden gedaan, iets wat niet officieel verboden was, maar wat niet netjes was om te doen. De sporter kreeg een bloedtransfusie met zijn of haar eigen bloed, waardoor er meer rode bloedlichaampjes in het lichaam kwamen. Rode bloedlichaampjes zijn goed om lange tijd op topniveau te kunnen presteren.
Bij het sluitingsfeest zong de Amerikaanse zanger Lionel Richie in het feestelijk verlichte stadion. Doordat de hele wereld via de televisie meekeek, werd zijn 'All night long' een grote hit.
Los Angeles 1984 werd door veel kenners ook wel de 'commerciële Spelen' genoemd. Dat betekent dat de Spelen gebruikt werden om er geld aan te verdienen. Dat was natuurlijk tegen het zere been van de Olympische bazen, want die geloofden nog steeds in puur amateurisme, iets wat echter nauwelijks nog bestond. Carl Lewis, die viermaal goud won, was al miljonair voordat hij aan deze Spelen begon. Hij woonde in een heel mooi huis en reed in diverse peperdure auto's. Amateurs kunnen dat natuurlijk niet betalen. Onze zwemster Petra van Staveren kreeg toen ze in haar woonplaats Amstelveen gehuldigd werd een fiets... Dat was nog eens een mooi voorbeeld van amateurisme!

## Olympische Spelen winstgevend

In 1988 kwam de sportieve wereld samen in Zuid-Korea, een Aziatisch land dat economisch sterk in opkomst was. Voor het eerst in twaalf jaar was de Olympische familie compleet aanwezig; er waren geen boycots van wie dan ook, er was vrede op aarde en de Spelen werden heel leuk en spannend.
De mensen waren wel bang geweest dat er in Seoel, de hoofdstad van Zuid-Korea, zou worden gedemonstreerd door studenten, maar voor het eerst sinds jaren bleef het opvallend rustig tijdens de dagen dat de Spelen plaatsvonden. Zoals het vroeger dus in Griekenland gebeurde; nooit oorlog of ruzie tijdens de Spelen.
Toch was er een vreselijk grote rel in Seoel. De Canadese hardloper Ben Johnson die op prachtige wijze de 100 meter had gewonnen in een wereldrecordtijd van 9,79 seconden, werd gediskwalificeerd wegens dopinggebruik. Johnson had zijn moeder een heel mooi huis beloofd in zijn woonplaats Toronto als hij zou winnen, maar nu hij weggestuurd werd en zijn medaille moest inleveren, kon hij dat huis wel vergeten. Zijn sponsors lieten hem stikken omdat hij de grote boosdoener van de Spelen was. Eigenlijk raar, want er werden bijvoorbeeld ook zes Bulgaarse gewichtheffers op doping betrapt.
Johnson werd voor twee jaar geschorst, kwam in 1991

weer terug in de atletieksport, maar rende nooit meer echt hard. Na een paar jaar werd hij nog een keer betrapt op het gebruik van doping. Toen werd hij natuurlijk door niemand meer serieus genomen.

De Amerikaanse hardloopster Florence Griffith werd heel beroemd in Seoel. Ze had uitzonderlijk lange, mooi gekleurde nagels en droeg later ook opvallende en felgekleurde sportpakjes. Ook van haar werd gezegd dat ze doping zou hebben genomen, omdat ze zo gespierd was, maar in haar plas werd nooit iets gevonden. Griffith liep nog een paar jaar voor heel veel geld en stierf in 1998 ineens aan een hartaanval. Iedereen reageerde toen erg geschrokken.
Ook Suriname telde mee in Seoel. De zwemmer Anthony Nesty won goud terwijl nog nooit iemand van hem had gehoord. Vier jaar later won hij brons op de 100 meter vlinderslag, zijn favoriete afstand. In Suriname is Nesty heel beroemd.
In Seoel werd er voor het eerst weer tennis gespeeld en won de Duitse Steffi Graf de gouden medaille. Graf zou later gedurende tien jaar de beste speelster ter wereld zijn.

Voor Nederland waren er verrassende gouden medailles voor wielrenster Monique Knol, een jonge schooljuffrouw met een lange, dunne paardenstaart. De studenten Nico Rienks en Ronald Florijn wonnen goud bij het roeien. Het zou de twee acht jaar later nog een keer lukken goud te winnen; beiden zijn dan ook echte Olympische helden.
Het was de laatste keer dat sportmensen uit Oost-

Duitsland deelnamen, want na de Spelen viel de Berlijnse Muur en werd Duitsland één. Maar in Seoel liet de DDR nog eenmaal zien hoe belangrijk sport voor dat land was. De Russen wonnen verreweg de meeste medailles, maar de Oost-Duitsers haalden meer medailles dan de Amerikanen, en dat zegt veel.

Vier jaar later wilde Amsterdam weer graag Olympische stad zijn, maar dat sprookje ging niet door. Amsterdam was een van de kandidaat-steden (samen met Brisbane, Birmingham, Belgrado, Parijs en Barcelona), maar toen de honderdvijftig IOC-leden moesten stemmen, kreeg Amsterdam slechts vijf stemmen en gingen de Spelen naar Barcelona. Dat was een kansloze nederlaag voor de organisatoren uit Amsterdam. Niet iedereen vond die nederlaag trouwens erg. De meeste mensen dachten dat we een te klein land hadden en dat onze bevolking bang was te veel geld te moeten betalen voor de Spelen. Er waren zelfs speciaal opgerichte actiecomités die ervoor zorgden dat buitenlandse mensen (en dus ook IOC-leden) hoorden en zagen dat er Nederlanders waren die de Spelen helemaal niet wilden. Die actievoerders maakten vlak voor de verkiezing van de Olympische stad in het Zwitserse Lausanne geweldig veel kabaal; ze spuugden naar IOC-leden en scholden ze uit.

In Barcelona werden het mooie Spelen, met goed weer en vooral een uitstekende sfeer in de grote havenstad. Tot heel laat zaten de terrassen vol met Olympische toeristen die uit de hele wereld waren gekomen. Het was ineens chic geworden om 'Olympisch' met vakantie te gaan. Grote bedrijven nodigden bijvoorbeeld gasten uit om

gezellig een paar dagen naar de Spelen te komen; zoiets heet relatiesponsoring.
Barcelona werd de speeltuin voor de Amerikaanse profbasketbalploeg die speelde onder de naam 'Dream Team', oftewel de droomploeg.
Alle beroemde basketballers van Amerika speelden mee, zoals Michael Jordan, Magic Johnson, Larry Bird en Karl Malone en de andere sterren van de Amerikaanse profbasketbalbond.
Omdat de wereld een beetje aan het veranderen was, moest het IOC wel volgen en werden voor het eerst de profs toegelaten.
Barcelona en de hele wereld genoten van de kunstjes van de Amerikanen die heel makkelijk Olympisch kampioen werden.
Er waren mensen helemaal uit Amerika gekomen om alleen maar naar het Dream Team te kunnen kijken.
Voor de Nederlandse ploeg was er veel reden tot juichen. De hardloopster Ellen van Langen won de 800 meter en reageerde zo leuk en spontaan dat iedereen in Nederland haar meteen aardig vond.
En ook de ruiters Jos Lansink, Piet Raymakers, Jan Tops en Bert Romp wonnen goud en dat was een grote verrassing. Verder waren er nog zes zilveren medailles en zeven bronzen plakken.

In Barcelona waren meer dan tienduizend sportmensen bijeengekomen, dat was bijzonder veel. Er deden honderdtweeënzeventig landen mee en er kwamen twee miljoen driehonderdduizend mensen de tribunes op. Eén ding was heel speciaal. Bij de openingsceremonie werd de Olympische vlam aangestoken door een boogschutter. Deze Spaanse meneer, Antonio Rebello, schoot van een afstand van zeventig meter zijn brandende pijl in de kom waar de vlam moest branden. Iedereen keek heel stil toe en het lukte: de vlam ging meteen branden.

In 1996 gingen de Spelen weer naar een Amerikaanse stad, Atlanta ditmaal. Er kwamen meer deelnemers en toeschouwers op af dan ooit. Omdat het vrij rustig was in de wereld, kwamen alle honderdzevenennegentig leden opdagen. Er waren ook opvallende nieuwe sporten: mountainbiken, softbal, beachvolleybal en voetbal voor vrouwen. De Nederlandse ploeg won negentien medailles en dat was fantastisch.
De herenvolleybalploeg speelde zo goed dat het bijna een droom was: na hun zilveren medaille van Barcelona wonnen ze nu goud op de laatste dag van de Spelen. Ook de hockeyende mannen haalden goud, net als de acht bij het roeien (met Rienks en Florijn aan boord; zij wonnen ook al in 1988) en mountainbiker Bart Brentjens. Was alles prachtig en mooi in Atlanta?
Nee, eigenlijk niet.
De Amerikanen waren erg bang voor aanslagen of gijzelingen en iedereen – sportmensen, bezoekers en ook journalisten – werd heel streng behandeld, wat soms tot spanningen leidde. Mensen werden dan boos omdat ze bijvoorbeeld urenlang in een rij moesten wachten of

omdat hun bagage wel drie keer achter elkaar werd gecontroleerd.
En toen gebeurde waar de Amerikanen zo bang voor waren geweest: er was een bomaanslag. De dader, die pas zeven jaar later door de Amerikaanse politie opgepakt werd, had een zelfgemaakte bom in het Olympisch park neergelegd waarbij helaas een Amerikaanse Olympische toerist kwam te overlijden.
De controle van de Amerikaanse soldaten werd nu nog strenger, wat leidde tot een nog gespannener en bijna onvriendelijke laatste week van de Spelen.
Sommige mensen ergerden zich, net als in 1984 in Los Angeles, omdat het leek alsof de Amerikanen dachten dat de Spelen er alleen voor hun eigen sporters was. We noemen dat chauvinisme (overdreven vaderlandsliefde), maar misschien ook wel gewoon nationalisme (vaderlandsliefde). Er werd weer volop met Amerikaanse vlaggetjes gezwaaid en de televisie besteedde buitengewoon veel aandacht aan Amerikaanse deelnemers.

Een van de opvallendste Olympische bezoekers was wel prins Willem-Alexander, die in zijn oranje shirt overal aanwezig was. Hij sprintte vaak achter Nederlandse winnaars aan en sommige mensen in Nederland vonden

dat voor een kroonprins ongepast. De sportmensen in Atlanta hadden er geen probleem mee en vaak zag je de kroonprins samen met sporters en Olympische toeristen een biertje drinken en pret maken, want ook een prins is maar een mens, nietwaar?
Toch verlieten veel Olympische gasten Atlanta met een nare smaak in de mond. Dit waren geen gezellige, goede en blije Spelen geweest.

Dat was wel het geval in Sydney 2000. Voor de tweede maal kwamen de Spelen naar Australië en iedereen daar was blij. Het was er mooi weer, de sportvelden en sportzalen waren prachtig mooi gebouwd en de Australische mensen waren aardig tegen iedereen.
Bijna vijftigduizend mensen hadden zich als Olympisch vrijwilliger opgegeven en hun rol was opvallend: ze hielpen je op straat, in de trein, in warenhuizen, in de hotels en rond de sportvelden. Ze kregen er geen geld voor, alleen een Olympisch shirt en een Olympische broek en pet. Maar daar waren ze natuurlijk erg trots op.

Er waren nog andere ongelofelijke getallen in Sydney. Zo deden 10.651 sporters mee en dit keer voor het eerst meer dan vierduizend vrouwen. En er waren meer dan vijftienduizend mensen van de pers die voor kranten, internet, radio en televisie werkten.
Iedereen wilde in Sydney zijn toen er eind september gesport werd; wekenlang waren alle vliegtuigen die van over de hele wereld naar Australië vlogen vol geboekt.
Er was ook een grote groep

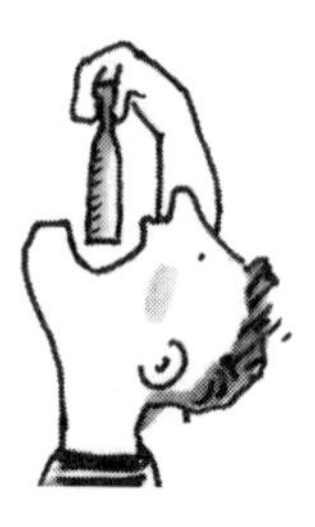

Nederlanders aanwezig. De sporters wonnen er heel veel en steeds weer werd er feestgevierd in het Holland Huis, een grote tent die in de haven van Sydney gebouwd was en waar iedere dag honderden en 's avonds duizenden mensen uit Nederland samenkwamen.
De meesten van hen droegen oranje of rood-wit-blauwe kleren en je kon er Nederlandse dingen eten en drinken, zoals boterhammen met pindakaas en hagelslag, haringen, Hollands bier en stamppot.

Omdat er bijna iedere avond wel een feest gehouden werd rond een Nederlandse medaillewinnaar of -winnares, werd het Holland Huis een belangrijke uitgaansplek in Sydney. Op het laatst moest de politie zelfs toezien dat het niet te druk werd.
De Nederlandse ploeg had vier uitzonderlijk goede sportmensen: de zwemmers Pieter van den Hoogenband en Inge de Bruijn, wielrenster Leontien van Moorsel en dressuurrijdster Anky van Grunsven. Zij zorgden allen voor meer dan één gouden medaille en werden toen ze weer thuiskwamen in Nederland door koningin Beatrix op haar paleis ontvangen en geridderd. Ze kregen dus een lintje, een bewijs van eer dat je iets heel speciaals gedaan hebt.
In Sydney vlogen de Olympische dagen voor iedereen voorbij, zo leuk was het. En er waren meer Nederlanders die goed presteerden. De Nederlandse honkbalploeg won bijvoorbeeld met 3-1 van het onverslaanbaar geachte Cuba en dat was een uitslag die de hele wereld overging;

niemand had dat ooit gedacht. De Amerikaanse televisiezender CNN behandelde het zelfs bij de hoofdpunten van het nieuws.
De Australische hardloopster Cathy Freeman werd de lievelinge van het publiek door de 400 meter te winnen. Freeman was een afstammeling van de zogeheten aboriginals – de eerste bewoners van Australië voordat er, vroeger, blanken uit Europa arriveerden. Ze was heel spontaan en aardig tegen journalisten die met haar wilden praten. Ze had helemaal geen kapsones, zoals andere sportmensen dat wel eens hebben als ze goed zijn of veel geld verdienen.
Op de slotavond van de Spelen danste heel Sydney en eigenlijk heel Australië. De bekende band Men at Work speelde het nummer 'Down Under', dat iedereen in Australië mee kan zingen. De sfeer in het grote Olympisch Stadion was fantastisch en iedereen was het erover eens: dit waren de leukste Olympische Spelen ooit. Hier gebeurde waar het om ging: mensen moesten samen kunnen leven zonder oorlog of ruzie te maken. Het was heerlijk om in zo'n omgeving te kunnen leven, waar gedanst en gezongen werd en waar het een genot was om naar sportwedstrijden te gaan kijken.

*In Sydney deden bijna tweehonderd landen mee. Over de hele geschiedenis van de Spelen zijn er slechts vijf landen die altijd deelgenomen hebben: Australië, Frankrijk, Griekenland, Groot-Brittannië en Zwitserland. Onder Groot-Brittannië wordt verstaan dat de deelnemers kunnen komen uit Engeland, Schotland, Wales en Noord-Ierland.*

# Athene 2004

Na de Olympische Spelen van 2000 in Sydney kwam de Nederlandse ploeg met maar liefst vijfentwintig medailles naar huis. Voor een klein land als dat van ons was dat opvallend veel.
Een belangrijk deel van die medailles werd behaald door vier individuele sporters: zwemster Inge de Bruijn, dressuurrijdster Anky van Grunsven, wielrenster Leontien van Moorsel en zwemmer Pieter van den Hoogenband. Dat waren in Sydney onze zogeheten speerpunten. Maar ook de herenhockeyploeg en judoka Mark Huizinga waren toppers, evenals de ruiter Jeroen Dubbeldam.
Na Sydney riepen we in Nederland dat we vier jaar later, in Athene, misschien wel nog meer medailles zouden gaan winnen.
Misschien was dat iets te gewaagd.
De vier speerpunten zijn er ook deze keer bij. Ondanks het feit dat ze allen vier jaar ouder zijn geworden, zijn ze nog steeds heel goed in hun betreffende sporten.
Is het dus reëel te veronderstellen dat 'we' weer veel medailles gaan winnen?
Het leuke van sport is dat je dat nooit van tevoren kunt zeggen. Een misslag, een griepje of een heel sterke tegenstander en hup... je kansen zijn verkeken.
De mensen bij NOC*NSF – dat is de naam van de

overkoepelende sportorganisatie in Nederland die alles regelt voor de Olympische sportmensen – hebben geprobeerd de omstandigheden voor alle sporters zo goed mogelijk te maken.
Er is een strenge selectie geweest en alleen de beste Nederlandse sportlieden mogen naar Athene afreizen. En ja, er zijn wel degelijk kanshebbers op medailles. De herenhockeyploeg is goed, net zoals judoka Edith Bosch. Leontien van Moorsel heeft weer heel hard getraind, net zoals Pieter van den Hoogenband en Inge de Bruijn, en hopelijk doet Anky van Grunsven het op haar nieuwe paard ook goed. De dameshockeyploeg heeft eveneens goede kansen. En de judoka's Huizinga en de broertjes Van der Geest? Zou heel goed kunnen. En bij het baanwielrennen? Er is een reële hoop dat de Nederlandse ploeg goed zal presteren. Klein medaillewerk bij het roeien? Een verrassing bij het schieten? Een hardloopster? Wie zal het zeggen?

Als je de Olympische Spelen via de televisie gaat volgen, zie je alle toppers van de wereld in twee weken langskomen. Misschien dat je wel een sport tegenkomt die je leuk vindt om zelf te gaan beoefenen. Dat moet je dan direct doen, want sporten is goed voor je. Het is gezond, je krijgt er vaak leuke vrienden door en misschien heb je zelf ook wel aanleg om goed te worden. Zodat je... inderdaad, zodat je misschien later ook de kans krijgt om aan de Olympische Spelen mee te doen.

# Carl Lewis en Fanny Blankers-Koen

Het winnen van een Olympische medaille staat voor bijna alle sporters, man of vrouw, boven de eer van een ander kampioenschap, of dat nou een nationaal of Europees kampioenschap of een wereldkampioenschap is. Vrijwel alle medaillewinnaars bewaren hun medaille dan ook heel goed; het is een van hun dierbaarste bezittingen. Bij de allereerste nieuwe Olympische Spelen, die van Athene in 1896, werden er maar twee medailles uitgereikt. De winnaar kreeg een zilveren medaille en een oorkonde en de nummer twee een bronzen medaille en een olijftak.
Pas later werd besloten drie prijzen toe te kennen: goud, zilver en brons. Die medailles worden in een aparte ceremonie uitgereikt. Alleen voor de winnaar wordt dan het nationale volkslied gespeeld.

Voor veel sporters is dat moment een van de belangrijkste momenten in hun leven. Ze staan op de hoogste trede van het Olympische trapje, krijgen de gouden medaille omgehangen van een bestuurslid of een ander belangrijk iemand en dan gaat de vlag van het land van de winnaar omhoog en klinkt het volkslied. Veel sporters krijgen op dat moment tranen in hun ogen van ontroering of blijdschap.

Soms zingen winnaars ook hun eigen volkslied mee, terwijl ze de tekst niet helemaal kennen.

Er zijn sportmensen die meer dan één medaille op een toernooi hebben gewonnen. De Amerikaan Carl Lewis is een van de allergrootste Olympische atleten uit de geschiedenis. Hij kon heel goed hardlopen en verspringen en won medaille na medaille. Toen de Olympische Spelen in 1984 in Los Angeles plaatsvonden, was hij een grootverdiener. Hij was zo goed, hij had zo hard getraind en hij wilde zo graag winnen dat hem dat op vier onderdelen lukte: op de 100 en 200 meter hardlopen, bij het verspringen en als lid van de 4 x 100 meter estafetteploeg van Amerika.
Met vier gouden medailles was hij de ongekroonde koning van die Olympische Spelen: hij was de beste van allemaal. Lewis werd echter niet aardig gevonden door heel veel Amerikaanse toeschouwers, omdat hij nogal arrogant overkwam. Zo kwam hij in Los Angeles vrijwel steeds te laat voor de persconferenties, had hij maling aan de regels en hij had nogal kritiek op de manier waarop hij zijn sport kon beoefenen.
Ook al was die Lewis soms een rare kwibus en ook een vervelende, eigenwijze, over het paard getilde vent; ergens had de hardloper wel gelijk.
Hij wilde bijvoorbeeld dat de atleten beter betaald zouden worden voor hun prestaties. Niet alleen het winnen van zo'n Olympische medaille was belangrijk, er moest meer te halen zijn volgens Lewis.
Hij vond het normaal dat hij voor het winnen van zo veel medailles ook ruim betaald zou worden. Veel mensen waren het met hem eens, maar in 1984 was het nog niet

heel erg gebruikelijk dat atleten geld verdienden. Officieel gebeurde dat ook niet, maar Lewis kreeg 'onder tafel' (zoals dat heet) heel veel dollars toegespeeld, zodat hij als een rijk man Los Angeles kon verlaten.
Zijn sportieve loopbaan hield daarna niet op. Hij deed aan nog drie andere Spelen mee: Seoel, Barcelona en Atlanta. Op 35-jarige leeftijd beëindigde hij zijn loopbaan met het fantastische aantal van negen gouden medailles. Vier Spelen achter elkaar was hij de beste bij het verspringen, een bijzondere prestatie.
Het grote publiek was niet altijd blij met de sportman Lewis. In Los Angeles bijvoorbeeld liet hij een aantal kansen liggen om een Olympisch record aan te vallen. Hoewel hij bij het verspringen nog vier keer mocht springen, liet hij die kansen voorbijgaan. Hij was er zeker van dat hij zou winnen en hij hield gewoon zijn trainingspak aan.
Toen hij later in zijn loopbaan wat aardiger werd, keek hij ook op een leuke manier terug op zijn eerste Olympische Spelen. Over zijn eigen optreden zei hij toen: 'Ik geloof best dat ik vervelend was voor veel mensen. Ik won en dacht dat ik de belangrijkste man van de Spelen was. 21-jarigen kunnen zo'n situatie niet goed op waarde schatten. Ik heb daar later van geleerd. Het is veel beter je heel rustig te gedragen, ook als je gewonnen hebt.'
Lewis was al een goede hardloper toen hij twaalf was. Zijn moeder deed aan atletiek en ook zijn zus Carol was een atlete van wereldklasse. In zijn hele leven heeft hij nooit iets anders gedaan dan trainen en aan wedstrijden doen, hoewel hij ook even filmacteur was. Iets waar hij overigens niet erg goed in was.
Hij had een zeer goede coach die hem goed begeleidde

en vanaf 1984 tot en met 1996 verdiende hij zo veel geld met atletiek dat hij na zijn sportieve loopbaan nooit meer hoefde te werken.
Er waren nog wat vreemde facetten aan het leven van Lewis. Hij was een van de eerste sportmensen die zich opvallend en goed kleedde. Sommige mensen zeiden direct dat hij homoseksueel was, maar dat heeft hij zelf jarenlang ontkend. In het Amerika waarin hij toen leefde, werd homoseksualiteit niet geaccepteerd; men dacht dat homoseksuelen niet goed konden zijn in sport. Of Lewis het nou wel of niet is, is eigenlijk niet zo belangrijk.
Ook was hij vegetariër, als een van de weinige topatleten. Hij vertelde altijd dat hij een heel sterk en gezond lichaam wilde behouden en dat hij daarom geen vlees at.
Lewis was de man die de atletieksport een ander gezicht gaf. Het is aan hem te danken dat hardlopers, verspringers en kogelstoters goed geld zijn gaan verdienen nadat ze gepresteerd hadden in grote wedstrijden.
Carl Lewis was ook in dienst van schoenenfabrikant Nike en hij zorgde ervoor dat een heleboel jonge Amerikaanse kinderen Nike-schoenen gingen kopen. Hij had een voorbeeldfunctie, net als Michael Jordan, de beroemde basketbalspeler.
Ooit zei Lewis dat hij zijn tijd vooruit was. Hij merkte op dat de sportbazen ouderwetse ideeën hadden en dat hij daar graag tegenin wilde gaan.
Misschien was hij zijn tijd inderdaad wel vooruit. Hoe dan ook, de atleten van tegenwoordig krijgen goed betaald en dat is mede te danken aan Lewis.

Waar Amerika trots was op een sporter als Carl Lewis, zo kon Nederland dat zijn op Fanny Blankers-Koen. Ook zij was een sportieve ster die viermaal goud wist te winnen. Het gebeurde in Londen 1948, waar dat jaar de Spelen werden gehouden. Fanny Blankers-Koen werd door iedereen in de wereld 'The flying Dutchwoman' genoemd, oftewel de vliegende Hollandse vrouw. Ze woonde in Amsterdam, was huisvrouw en moeder van twee kinderen toen zij in Londen vier gouden medailles won.

In 1936 had ze ook al aan de Spelen van Berlijn meegedaan, maar was toen niet opgevallen. Ze had gekeken naar de toppers van toen en had tegen zichzelf gezegd: 'Ik wil ook wel eens op het hoogste trapje staan.' Daar moest ze vanwege de oorlog dus twaalf jaar op wachten.

Mevrouw Blankers-Koen, die op 25 januari 2004 op vijfentachtigjarige leeftijd overleed, won in Londen de gouden medaille op de 80 meter horden, de 100 en 200 meter en bij de 4 x 100 meter estafette. Er waren mensen die zeiden dat als ze bij het verspringen had meegedaan ze daar waarschijnlijk ook gewonnen had. Overigens deed ze in 1936 mee aan het onderdeel hoogspringen en toen werd ze zesde.
Ze was de beste van de hele Spelen en toen ze terugkwam in haar woonplaats Amsterdam waren er tienduizenden mensen de straat op gegaan om haar te verwelkomen. Van de burgemeester van Amsterdam kreeg ze toen een fiets cadeau, waarbij de burgemeester grapte: 'U hebt al genoeg gelopen, dus die fiets is op zijn plaats.'
Wat was er zo bijzonder aan Fanny Blankers-Koen?
Ze was een normale vrouw die twee kinderen had en die gewoon haar huishouden moest doen. In de weinige vrije uurtjes die ze had, ging ze trainen. Opvallend was ook dat haar trainer haar echtgenoot was, Jan Blankers.
Ze deed in 1952 weer mee aan de Spelen, die toen in Helsinki (Finland) plaatsvonden. Ze was echter een tikje te oud geworden om heel goed te presteren. Op 34-jarige leeftijd stopte ze met topsport en werd ze een belangrijke vrouw in de Nederlandse sport. Ze ging nog naar drie andere Olympische Spelen, niet meer als atlete, maar als leidster van de Nederlandse vrouwenatletiekploeg. In de Olympische wereld was ze heel beroemd en iedereen had veel respect voor haar.
Ze had bijna vijftien jaar aan topsport gedaan en was een groot voorbeeld voor vrouwen in Nederland. Vooral in de jaren na de oorlog was er geen plaats voor vrouwen en meisjes in de topsport. Alleen mannen en

jongens konden dat doen. Vrouwen hadden een andere taak in het leven, zo werd gedacht. Ze moesten voor het huishouden en voor de kinderen zorgen; sport telde voor hen toen niet mee.
Fanny Blankers-Koen veranderde dat beeld. Door haar successen zagen andere Nederlandse en ook buitenlandse vrouwen dat het heel goed mogelijk was dat zij ook goed in sport konden worden.

Fanny Blankers-Koen is nooit rijk geworden van haar vier medailles. Ze kreeg dus een fiets en verder niets. Ze leefde in een tijd dat de sportmensen hun eigen kosten moesten betalen en geen geld van anderen mochten ontvangen. Ooit zei ze daarover: 'Ik denk dat geld heel veel druk bij een mens brengt en geen geluk oplevert. Ik ben gelukkig met wat ik gedaan heb en hoe ik het gedaan heb. Ik leefde in een tijd dat atleten niet betaald mochten worden en ik heb dat nooit erg gevonden.'

Heel bijzonder is dat Fanny Blankers-Koen en Carl Lewis in 1999, in Monte Carlo, gekozen werden tot 'sporters van de eeuw'. Dat is zo'n beetje de hoogste onderscheiding die de sportwereld kent.

# Atleten

Over de hele wereld leven ongeveer honderdduizend mensen die zich Olympisch atleet mogen noemen. Ze hebben allemaal eens deelgenomen aan de Olympische Spelen en behoren daarom tot een speciale categorie.
We kennen nationale competities, Europese kampioenschappen en wereldkampioenschappen, we kijken naar de Champions League en liggen voor de televisie om de Tour de France of Wimbledon te zien... er zijn sporttoernooien over de hele wereld, maar de Olympische Spelen steken daar dik bovenuit. En dus zijn de mensen die op die Spelen mee hebben mogen doen een beetje speciaal.
Wat is er dan zo bijzonder aan die Spelen? Waarom leggen sponsors honderden miljoenen dollars neer terwijl hun reclameborden niet eens in beeld mogen komen? Het heeft allemaal te maken met de uitstraling van de Olympische Spelen, en bedrijven als Coca-Cola, Nike en Visa willen graag bekendstaan als trouwe sponsors. Dat is namelijk chic in de zakenwereld.
Televisiestations in Amerika, Europa, Azië en Australië bieden bespottelijk hoge bedragen om de Spelen uit te mogen zenden; honderden miljoenen dollars. Het Internationaal Olympisch Comité vindt het natuurlijk allemaal best, want met al dat geld van die sponsors en

televisiemaatschappijen kunnen zij een goede organisatie neerzetten, waardoor het begrip Olympische Spelen zo'n positieve invloed op de wereldbevolking heeft.
Veel sportmensen dromen erover ooit mee te mogen doen aan de Spelen, want voor hen is dat het hoogst bereikbare in hun sportleven. Ze trainen er dan ook hard voor.
Het betreden van het Olympisch Stadion bij de openingsceremonie is voor heel veel mensen een ervaring om nooit meer te vergeten. Vraag het maar aan willekeurig welke sportman of -vrouw en ze zullen allemaal zeggen dat ze kippenvel hadden gedurende die ceremonie.
Het is ook niet niks als je daar mag staan; je hoort bij de beste tienduizend sporters van de wereld en je mag voor je land uitkomen in de sport waar je goed in bent. De hele wereld kijkt via de televisie toe en al die sporters strijden om drie medailles (goud, zilver, brons), drie diploma's (voor de plaatsen vier, vijf en zes) en vooral voor de ervaring meegedaan te hebben en bij een elitegroep sporters behoord te hebben.

Wanneer mag je aan de Spelen meedoen?
Voor iedere sport bestaat een limiet. Natuurlijk kunnen geen duizenden mensen zich inschrijven voor de 100 meter hardlopen en natuurlijk kunnen er geen honderdzevenendertig landenploegen aan het basketbaltoernooi meedoen. Dat zou veel te druk worden en dan kunnen die wedstrijden niet in twee weken (zo lang duren de Spelen tegenwoordig) worden afgewerkt. Daarom moeten sporters aan bepaalde Olympische limieten voldoen.

Een limiet is een minimumafstand of minimumtijd die een sporter moet hebben gehaald in andere dan Olympische wedstrijden. Stel dat de limiet voor de 100 meter 10,8 seconden is, dan betekent het dat je ten minste die tijd gelopen moet hebben om eventueel mee te mogen doen. Het Olympisch Comité van jouw land kan jou dan inschrijven, jijzelf kunt dat als sporter niet doen. Vaak zijn er ook nog nationale limieten (in Nederland zijn die best streng) waaraan de sporter moet voldoen. Je kunt dus zeggen dat alleen de allerbeste sporters naar de Spelen gaan.
Dat levert ook wel gekke momenten op, omdat er soms sporters komen uit landen waar de limieten minder streng zijn dan bij de meeste andere landen. Zo was er in 2000 in Sydney een zwemmer uit Frans Equatoriaal Guinea. Hij heette Eric Moussambani en hij deed mee aan de 100 meter vrije slag. Moussambani was de beste zwemmer van zijn land, maar in vergelijking met alle andere zwemmers was hij heel langzaam. De andere zwemmers waren al lang klaar met de 100 meter toen hij nog zeker 50 meter moest afleggen. Iedereen in het zwemstadion stond op en klapte om hem te steunen. Natuurlijk was dat wel een beetje zielig voor hem, maar in het jonge, kleine land van Moussambani bestaat sport bijna niet. De mensen zijn er arm, er zijn geen mooie zwembaden, niemand kan er trainen, maar toch werd hij toegelaten op de Spelen en mocht hij meedoen. Hij werd een bezienswaardigheid, er werden zelfs ansichtkaarten gemaakt waarop je hem ziet ploeteren. Moussambani zette ons ook aan het denken. Onze sportmensen hebben het hartstikke goed, leiden vaak een prettig leven, verdienen geld en kunnen beroemd worden. Maar hij

dus niet; hij was al blij dat hij een zwembroek had! Hij kwam in een wereld die totaal vreemd voor hem was. Hij had bijvoorbeeld nog nooit in een restaurant gegeten waar je zoveel mocht opscheppen als je wilde. Dat mag namelijk bij de Spelen!

*In 1964 deed zich een opmerkelijk feit voor. Toen de winnaars van het roeitoernooi in de acht, de Amerikaanse ploeg, naar voren werden geroepen, stond daar de 46-jarige stuurman Robert Zymoni te glunderen. Mensen die de Olympische geschiedenis goed kenden, waren de naam Robert Zymoni wel eens eerder tegengekomen. In 1948, in Londen, om precies te zijn. Toen zat er een dertigjarige stuurman met dezelfde naam in de Hongaarse twee-met-stuurman.*

*Was het dezelfde man?*

*Ja, de Hongaar was in 1956 gevlucht voor de Russen die zijn land binnen trokken. Hij was naar Amerika gereisd waar hij Amerikaans staatburger werd en met het sturen van roeiboten doorging. Op dat moment was hij uniek; hij had twee medailles op twee verschillende Spelen met twee verschillende nationaliteiten gewonnen.*

In de ploegsporten basketbal, handbal, hockey, honkbal, softbal, voetbal en volleybal worden heel strenge selectie-eisen gehouden. Het is een lange weg van voorbereiding en kwalificaties en vaak is het moeilijker om de Spelen te bereiken dan om daar goed te spelen. De ploegen moeten vaak al maanden van tevoren wedstrijden spelen tegen elkaar om uiteindelijk naar de Olympische Spelen te kunnen. Het Nederlandse herenvolleybalteam weet daar alles van.

Hoe zit dat bij andere sporten?
Hoeveel hardlopers op de 100 meter mogen er bijvoorbeeld per land meedoen?
Dat zijn er maximaal drie, net als bij veel van de andere individuele sporten (boogschieten, hardlopen, verspringen, zwemmen) waarbij in series gewerkt wordt. De beste lopers van een serie gaan door naar de volgende ronde. Daar moeten ze zich dan weer bewijzen om uiteindelijk via de halve finale in de finale terecht te komen.
Zo kan het gebeuren dat er sporters zijn die bijvoorbeeld de 100 meter in 10,57 seconden lopen en niet door de eerste ronde heen komen. Hun hele Olympische Spelen heeft dan, zou je kunnen zeggen, slechts 10,57 seconden geduurd. Er zijn ook sporters die in de eerste ronde van het tafeltennistoernooi in achttien minuten verliezen en dan klaar zijn met hun Spelen en verder 'lekker' als toeschouwer alles kunnen gaan bekijken.
Maar er zijn ook volleyballers die negen lange en zware wedstrijden hebben gespeeld en uiteindelijk toch niet in de medailles vallen.
Ooit werd gezegd: 'Meedoen is belangrijker dan winnen',

maar dat gezegde is eigenlijk ouderwetse onzin. Verreweg de meeste sporters gaan naar de Spelen om er goed te presteren, om in ieder geval te proberen een medaille te winnen.
Als de sporter voortijdig uitgeschakeld is, wil hij of zij nog wel eens lekker feest gaan vieren in de Olympische stad en dan krijgt de buitenstaander misschien de indruk dat het feesten belangrijker is dan het sporten. Maar dat is vaak een verkeerde veronderstelling.
Als je toevallig aan een sport meedoet die pas tijdens de laatste dagen van de Spelen op het programma staat, moet je heel lang geconcentreerd blijven, terwijl er om je heen al landgenoten en anderen aan het feesten zijn. Dat levert wel eens problemen op.
Tijdens de Spelen krijg je immers een zogeheten accreditatie. Dat is een kaart die je altijd (behalve natuurlijk als je aan het sporten bent!) zichtbaar moet dragen. Op die kaart staat je naam, je pasfoto en de plaatsen waar je overal aanwezig mag zijn: op trainingsbanen en in stadions. Die kaart moet je dragen, ook al ben je wereldberoemd en weet iedereen wie je bent.
Schaatsster Yvonne van Gennip had haar kaart een keer vergeten om te doen en mocht toen niet het schaatsstadion in. Want de regels zijn streng en iedereen moet zich daaraan houden.

# Sporten

Bij de allereerste 'moderne' Spelen, die van 1896 in Athene, werden de volgende sporten beoefend: atletiek, gewichtheffen, schermen, schieten, tennis, turnen, wielrennen, worstelen en zwemmen. Ook roeien stond op het programma, maar dat werd wegens slechte weersomstandigheden afgelast.
Tijdens de Spelen van 2004, weer in Athene, zullen 27 hoofdsporten centraal staan.

- **Atletiek**, sinds 1896. Het is het grootste toernooi van de Spelen, ook wel 'de moeder aller sporten' genoemd. Vrouwen mochten eerst niet meedoen.
- **Badminton**, ingevoerd in 1992. De sport is afkomstig uit Azië. De Engelsen namen het mee naar Europa. Badminton is een belangrijke sport in Denemarken.
- **Basketbal**, officieel ingevoerd in Berlijn 1936, waar nog buiten gespeeld werd. Het is een Amerikaanse uitvinding. De regels zijn bedacht door een Canadese dominee die gymnastiekleraar was in Amerika.
- **Boksen**, ingevoerd in 1904, maar in 1912 geschrapt omdat de Zweedse wet boksen verbood. In 1920 kwam het weer terug.
- **Boogschieten**, ingevoerd in 1900. Na 1920 verdween

het onderdeel voor lange tijd, om ruim vijftig jaar later terug te keren in München in 1972.

- **Gewichtheffen**, sinds 1896. Sinds 2000 doen ook vrouwen eraan mee. De sport is heel populair in Bulgarije, Rusland en Turkije.
- **Handbal**, ingevoerd in Berlijn 1936, met elftallen op een buitenveld. Tegenwoordig wordt er in de zaal gehandbald met zijn zevenen. Handbal komt oorspronkelijk uit Zweden, Denemarken en Noord-Duitsland.
- **Hockey**, ingevoerd in Londen in 1908. India was dertig jaar de beste, nu lijkt het Nederland te zijn. De vrouwen mogen sinds 1984 in Los Angeles (toen Nederland won) meedoen. De naam is afkomstig van het Franse woord *hocquet*, dat 'herdersstok' betekent. Een herdersstok had een kromming aan de onderkant, vandaar.
- **Honkbal**, ingevoerd in 1992, maar of het lang Olympisch zal blijven is de vraag. Amerika vaardigt nooit de beste spelers af en is er in Athene 2004 niet eens bij. Het is een belangrijke sport in Japan en Zuid-Korea.
- **Judo**, ingevoerd in Tokio 1964. Judo is van oorsprong een Japanse zelfverdedigingssport en betekent 'op een aardige manier'.
- **Kano**, ingevoerd in Berlijn 1936. Het is een van de oudste sporten ter wereld; de geschiedenis gaat zesduizend jaar terug.
- **Moderne vijfkamp**, ingevoerd in Stockholm in 1912. De onderdelen zijn paardrijden, hardlopen, schermen, zwemmen en schieten. Het was oorspronkelijk een sport voor militairen.

- **Paardensport**, ingevoerd in 1900 en vanaf 1912 de military. Je hebt ook nog dressuurrijden, waarvan de basis in Duitsland en Hongarije ligt. En daar hebben wij Anky van Grunsven...
- **Roeien**, sinds 1896. Het was heel lang alleen een onderdeel voor mannen. Pas in Montreal (1976) mochten de vrouwen meedoen.
- **Schermen**, sinds 1896. Vooral Hongaren, Italianen, Duitsers en Fransen zijn er goed in.
- **Schieten**, sinds 1896. Er zijn verschillende soorten: pistool-, kleiduiven- en geweerschieten.
- **Softbal**, ingevoerd in Atlanta in 1996. Het is een oorspronkelijk Amerikaanse sport; het wordt ook wel 'honkbalvariatie voor vrouwen en meisjes' genoemd.
- **Taekwondo**, Koreaanse vechtsport die in 2000 zijn Olympische status kreeg.
- **Tafeltennis**, ingevoerd in Seoel in 1988. Heel veel Chinezen zijn er goed in. In Zweden zijn vooral de mannen heel goed.
- **Tennis**, bij toeval erbij sinds 1896. Het onderdeel verdween na 1924 van het programma, maar keerde in Seoel (1988) terug. Tegenwoordig spelen ook de bekende profs mee.
- **Triatlon**, ingevoerd in Sydney in 2000. Een van de jongste sporten op de Spelen, voor het eerst in wedstrijdvorm gedaan in Amerika in 1976. De onderdelen zijn zwemmen, fietsen en hardlopen.
- **Turnen**, sinds 1896. We kennen daarnaast ook trampolinespringen en ritmische gymnastiek.
- **Voetbal**, ingevoerd in 1900. Nederland werd driemaal derde, maar dat is al een eeuw geleden. Nederlandse voetballers vinden de Spelen niet belangrijk.

- **Volleybal**, ingevoerd in Tokio in 1964. De sport heette oorspronkelijk *mintonette* en werd in Amerika voor het eerst gespeeld. In Japan en Peru is dit vooral een vrouwensport.
- **Wielrennen**, sinds 1896. Mountainbiken werd er in Atlanta (1996) aan toegevoegd. Er zijn vele nieuwe nummers op de baan. Alle grote, beroemde profs doen nu mee, ook Lance Armstrong.
- **Worstelen**, sinds 1896. Er zijn twee soorten worstelen: vrije stijl en Grieks-Romeins. Het is populair in Oost-Europa, Turkije en in een klein gedeelte van de Verenigde Staten.
- **Zeilen**, ingevoerd in Parijs in 1900. Er zijn veel verschillende bootsoorten. Sinds 1984 wordt er ook aan plankzeilen gedaan. De eerste winnaar bij het surfen was een Nederlander, Stephan van den Berg.
- **Zwemmen**, sinds 1896. Later kwam er synchroonzwemmen bij (een Canadese uitvinding). Ook waterpolo en duiken vallen onder het hoofdstuk zwemmen. Hongaren kunnen goed waterpoloën en Canadese en Amerikaanse vrouwen zijn goed in synchroonzwemmen.

Er zijn nog een paar sporten Olympisch geweest die nu niet meer mee mogen doen. Dat zijn vrij kleine sporten, die wij wel kennen maar niet veel beoefenen.
In de vorige eeuw was touwtrekken een bekende sport, ook in Nederland. Tot 1920 stond dit onderdeel op het

programma. Golf, bekend in veel Engelssprekende landen, deed tweemaal mee: in 1900 en 1904. Er is sprake van dat men golf in 2008, in Peking, wil terughalen. Waarschijnlijk met de beroemde profs erbij, dus misschien wel met Tiger Woods. In 1924 werd er voor het laatst Olympisch rugby gespeeld en ook de relatief onbekende sport polo (een soort hockey waarbij de spelers op een klein, snel paard zitten) deed vijfmaal mee. De laatste sport die Olympisch was en die we al een hele tijd niet gezien hebben, is lacrosse. Dat is een bijzonder snelle balsport waarbij men al rennend de keiharde bal met een netje aan een stok naar elkaar speelt. Oorspronkelijk was het een sport die de indianen beoefenden. In Canada en Amerika is het een schoolsport.
Tot slot zijn er een paar kleine sporten die graag Olympisch willen worden en wel eens als demonstratiesport gespeeld zijn, zoals ons korfbal (dat was in Amsterdam in 1928 een populaire demonstratiesport!), cricket, motorbootracen, racketbal, waterskiën, kaatsen (in diverse vormen) en zelfs het tuinspelletje croquet.

*Atletiek trekt bij de Spelen de meeste toeschouwers omdat het in het grote Olympisch Stadion wordt afgewerkt. Ook populair zijn basketbal (vooral als de Amerikaanse profs optreden) en zwemmen. Bij boogschieten, kano en schieten komen nooit zo veel mensen kijken.*
*De duurste kaartjes bij de Spelen zijn die van de openings- en sluitingsceremonie. Het lijkt haast wel alsof de hele wereld daar juist bij wil zijn. Het is dan ook een heel speciale belevenis. Als alle sportlieden in het stadion aanwezig zijn, merk je pas hoe bijzonder de Olympische Spelen zijn.*

# Internationaal Olympisch Comité

De organisatie die alles regelt rond de Olympische Spelen heet het IOC en dat staat voor International Olympisch Comité. De mensen die er vast in dienst zijn, wonen en werken in Lausanne in Zwitserland. Daar is het kantoor gevestigd, evenals het Olympisch museum waar je de hele geschiedenis van de Olympische Spelen kunt bekijken.
Het IOC heeft honderdvijfentwintig leden; mensen vanuit de hele wereld die allemaal iets met sport te maken hebben. Er zijn zakenmensen bij, ex-sporters, politici en leden van koninklijke huizen. Die leden worden niet betaald; ze krijgen alleen hun onkosten vergoed. Het is een eer om lid van het IOC te zijn, want dan sta je in de sportwereld in hoog aanzien. Daarom wordt het ook wel een erebaantje genoemd.
Er is een tijd geweest dat die hooggeplaatste mensen misbruik maakten van hun positie. Zij lieten zich erg verwennen door andere mensen die in een goed blaadje wilden komen bij het IOC. Dat gebeurde omdat ze zogeheten steekpenningen hadden aangenomen (ze kregen geld of mooie sieraden of vliegreizen voor hun familie) en aangezien dat in strijd is met een van de basisprincipes van het IOC, werden ze zonder pardon uit de organisatie gezet.

Nederland heeft vier vertegenwoordigers in het IOC en dat is voor een klein land heel erg veel. Twee van die leden hebben het lidmaatschap omdat ze president zijn van een grote sportbond in de wereld: Hein Verbruggen (baas van de internationale wielrenunie, de UCI) en Els van Breda Vriesman (voorzitster van de internationale hockeyfederatie, de FIH).
Naast deze twee voorzitters heeft Nederland nog twee leden: de vroegere judokampioen Anton Geesink, die al meer dan vijftien jaar lid is, en Le Prince d'Orange, de officiële aanspreekvorm (bij het IOC) van kroonprins Willem-Alexander.
Onze kroonprins werd in 1998 opgenomen in deze exclusieve club, iets wat niet helemaal onopgemerkt voorbijging, zeker niet in Nederland. Willem-Alexander is niet het enige lid van een koninklijk huis, ook andere vorstenhuizen zijn vertegenwoordigd: Groot-Brittannië, Monaco, Luxemburg, Liechtenstein en ook de vroegere koning van Griekenland (die zelf een zeer verdienstelijk zeiler was).

Hoe lang mag je lid blijven?
Er is een nieuwe regel afgesproken die zegt dat iedereen die na 1996 in het college is opgenomen op zijn zeventigste moet vertrekken. Mensen die voor 1996 verkozen werden mogen tot hun tachtigste blijven zitten.
Het IOC wil graag een jongere uitstraling hebben. Dat noemen ze met een chic woord 'image'. Nog niet zo lang geleden was dat image van het IOC zeg maar gewoon stoffig.

Het waren oude heren onder elkaar die wel even bepaalden wat er binnen de Spelen moest gebeuren. Daar kwam veel kritiek op. Mede doordat een flink aantal jonge leden werd gekozen, veelal uit de sport afkomstig, is dat beeld behoorlijk veranderd.
Wie die jonge leden zoal zijn? Polsstokhoogspringer Bubka, ijshockeyer Kurri, skister Wiberg, hardloper Keino, schaatser Söndral en zwemmer Popov zijn allemaal lid geworden. In hun sportieve jaren waren ze allen grote en bekende kampioenen die nu dus mogen meebeslissen met wat er op de Spelen moet gebeuren.

De huidige voorzitter komt uit België. Hij heet Jacques Rogge en was zelf een goede zeiler. Hij deed aan drie Spelen mee en was daarnaast chirurg in een Belgisch ziekenhuis. Nu leidt hij de belangrijkste zaken van de machtigste sportorganisatie ter wereld. Zijn voorgangers zijn bijna allemaal belangrijke mensen in de wereldsport geweest.
De Griek Demetrius Vikelas was de allereerste voorzitter van het IOC. Hij was politicus en diplomaat en ging wat anders doen na de eerste Spelen van Athene. Zijn plaats werd ingenomen door de bekende Pierre de Coubertin, de Fransman die eigenlijk de basis voor de Olympische Spelen had uitgeschreven. De Franse baron bleef voorzitter tot 1925 nadat hij de eerste algemeen secretaris was geweest. Zijn opvolger was een Belg die Henri de Baillet-Latour heette. Hij had de organisatie van de Spelen van Antwerpen verzorgd en was goed bevriend met De Coubertin. Hij bleef tot hij overleed in 1942. Midden in de oorlog werd de Zweed Johannes Edström tot voorzitter benoemd. Hij was al voorzitter van de internationale

atletiekbond en bleef bij het IOC tot 1952.
Zijn opvolger heette Avery Brundage, een Amerikaan die in 1912 zelf meegedaan had aan de Spelen als hardloper. Deze Brundage was, zoals dat heet, een ijzervreter. Hij was heel streng en een heleboel mensen waren bang voor hem. Hij was ouderwets in zijn doen en laten en in de tijd dat hij president was, werd het IOC een echte herenclub. Brundage werd in 1972 opgevolgd door een bijzonder aardige en joviale man, een Ierse ex-journalist en filmmaker die lord Michael Morris Killanin heette. Deze Ier was moderner in zijn manier van denken en dat kon je merken aan de organisatie van het IOC. Jammer genoeg bleef hij niet lang, want in 1980 kwam de Spaanse diplomaat Juan Antonio Samaranch. Deze stijve meneer, die heel veel invloed had en die uit de buitenlandse politiek afkomstig was, begon op traditionele manier te werken, maar moest aan het eind van de jaren negentig de grote veranderingen waar de moderne sportwereld om vroeg doorvoeren binnen het IOC.
Toen hij opstapte en voor zijn leven erevoorzitter werd, kwam Rogge in zijn plaats en die ex-chirurg doet het nu uitstekend. Hij begrijpt dat er in de moderne sportwereld snel en krachtig moet worden opgetreden, dat de sportmensen goed behandeld moeten worden en dat de Spelen eerlijk moeten verlopen.
Hij is bijvoorbeeld een felle tegenstander van dopinggebruikers en doet er alles aan om ze op te sporen en te straffen. Het komt wel goed uit dat hij medicijnen gestudeerd heeft, want hij snapt natuurlijk al die moeilijke zaken die met doping en verboden producten te maken hebben.

Wat onze kroonprins precies in het IOC doet? Hij zit in een aantal commissies en neemt zijn werk heel serieus. Het leuke van zijn baan is natuurlijk dat hij naar alle wedstrijden tijdens de Spelen kan en nooit een kaartje hoeft te kopen. Overigens is prins Willem-Alexander heel sportief. Hij heeft de Elfstedentocht geschaatst en de marathon van New York uitgelopen. Als hij bij de Spelen is, gaat hij altijd naar de wedstrijden kijken. Hij is een echte supporter van de Nederlandse ploeg.
Het contact tussen de kroonprins en de Nederlandse sporters is heel bijzonder. Ze gaan heel spontaan met elkaar om en ze zeggen gewoon 'je' en 'jij' tegen elkaar als ze over sport aan het praten zijn, terwijl andere mensen bij de Spelen hem natuurlijk met 'u' en 'Koninklijke Hoogheid' moeten aanspreken.
Ik heb het daar wel eens moeilijk mee gehad. Dan moest ik een interview met hem doen voor de televisie en dan hoorde ik hem natuurlijk met 'u' aan te spreken, terwijl ik eerder met hem in gesprek was en gewoon 'jij' tegen hem zei. Gelukkig wist ik me net op tijd te herinneren hoe het hoorde.
Er was een tijd dat de voorzitter van het IOC zich liet aanspreken met 'Your Excellency'. Dat is Engels voor Zijne Excellentie, een aanspreekvorm die heel ouderwets is en die bestond toen het IOC die stoffige uitstraling had. Als je met voorzitter Rogge samen bent, mag je gewoon meneer tegen hem zeggen. Het is voor ons wel leuk dat hij voorzitter is. Hij spreekt altijd Nederlands en kijkt vaak naar onze televisie en kent ons land heel goed. Zijn hart gaat sneller slaan als er grote wielerwedstrijden in België plaatsvinden. Daar is hij een echte supporter van!

# Winterspelen

Bij de Spelen van Londen in 1908 stond een opvallende sport op het programma: kunstrijden op de schaats. Twaalf jaar later, in Antwerpen (1920), kwam daar ijshockey bij. Het is natuurlijk opvallend als je het over Zomerspelen hebt en je sporten beoefent die om ijs als ondergrond vragen. Dus bedacht men de Winterspelen.
In 1911 klopte de Italiaanse gymnastiekleraar Eugene Brunetta d'Usseaux al bij het IOC aan en diende daar het voorstel in om aparte Winterspelen te gaan organiseren. De sportbazen van die jaren zagen daar helemaal niets in en de Italiaan moest zijn plannen tot 1924 in de kast laten staan.
In dat jaar kwamen vertegenwoordigers van zestien landen naar Chamonix in de Franse Alpen om daar te skiën, bobsleeën en schaatsen. Eerst heetten die wedstrijden de 'internationale wintersportweek' en werden ze niet echt serieus genomen, maar later kregen de winnaars hun Olympische medailles thuis gestuurd. Dat was het begin van de Winterspelen die ook om de vier jaar zouden plaatsvinden. In de Scandinavische landen (Noorwegen, Zweden en Finland) kende men veertig jaar eerder al wel een groot sportief toernooi met sneeuw- en ijssporten, de Noordse Spelen, maar dat toernooi was lang niet zo internationaal.

Het waren in Chamonix ook vooral sportmensen uit Noorwegen die bewezen dat ze heel goed waren en dat is jaren zo gebleven. Bij die eerste Winterspelen deed voor Noorwegen een elfjarig meisje mee op het onderdeel kunstrijden op de schaats. Ze werd laatste, maar iedereen die haar zag schaatsen en springen was enthousiast over haar. Ze heette Sonja Henie en werd later in haar leven een wereldberoemde filmactrice in Amerika. Voordat ze filmster werd liet Sonja Henie de wereld nog wel even zien dat ze heel goed kon kunstrijden, want vier jaar later, in Sankt Moritz in Zwitserland, won ze de gouden medaille. Met slechts vijftien jaar was ze de jongste vrouw ooit die een gouden medaille op de Winterspelen wist te winnen.
Er werd ook aan bobsleeën gedaan. Vreemd genoeg mochten de ploegen zelf kiezen met hoeveel man ze in de slee wilden zitten: vier of vijf.
De Winterspelen gingen in 1932 voor het eerst naar Amerika, waar in het kleine dorpje Lake Placid tweehonderdtweeënvijftig sportmensen (onder wie slechts eenentwintig vrouwen) van over de hele wereld samenkwamen.

In Lake Placid werden de schaatswedstrijden afgelegd met de zogeheten 'pack start'. Dat betekende dat de deelnemers met zijn allen aan de start kwamen en tegen elkaar moesten rijden. Dus niet één tegen één, zoals wij het kennen, maar iedereen tegelijk in de baan. Om te winnen moest je brutaal zijn en een beetje je armen gebruiken.
De beste Europese schaatsers bleven aan de kant. Ze haalden hun neus op voor deze Amerikaanse vorm van schaatsen.
In Lake Placid werd een nieuw onderdeel geïntroduceerd dat niet lang als Olympische sport op het programma bleef: hondensleewedstrijden.
Bij het langlaufen moesten de deelnemers door een groot en voor de meesten onbekend bos skiën. Vrijwel iedereen verdwaalde daar omdat het parcours niet goed aangegeven was.

Vervolgens gingen de Winterspelen naar het Duitse Garmisch-Partenkirchen waar de Noorse schaatser Ivan Ballangrud drie gouden en een zilveren medaille won en de grote held van de Spelen werd.
Voor het eerst werden er alpine-skinummers gehouden. Alpineskiën is van een berg af skiën, in slalom of in de afdaling. Voor die tijd kende men alleen de Noordse skinummers, iets wat wij langlaufen noemen.
Het IOC had grote problemen met de Duitse organisatoren die een politieke propagandastunt van de Spelen wilden maken. Zo stond op de officiële Olympische poster ook niet de plaats waar gesport werd, zoals altijd gebeurde, maar hadden de Duitsers met grote letters 'Allemagne 1936' laten drukken, wat Frans is en

'Duitsland 1936' betekent. Adolf Hitler betaalde de Spelen en wilde reclame maken voor zijn politieke manier van denken en doen en dat mocht niet, maar het gebeurde wel.

Na de Tweede Wereldoorlog werden de Winterspelen in 1948 voor de tweede maal in het Zwitserse Sankt Moritz gehouden. Er waren niet veel deelnemers omdat reizen nog heel duur was en de gevolgen van de oorlog overal te voelen waren. De Noorse skispringer Birger Ruud deed iets heel bijzonders. Nadat hij in 1932 en 1936 al gewonnen had, deed hij het als ietwat oude man nog een keer in 1948. Dat was heel knap en hij werd de held van de Spelen. Er was ook een Amerikaanse vrouw die goed kon skiën. Ze was al achtentwintig jaar en deed voor het eerst mee aan grote wedstrijden in Europa. Ze heette Gretchen Fraser, ze won en beëindigde direct haar sportieve loopbaan. Eén keertje was voor haar leuk geweest!
In 1952 werden de Winterspelen voor het eerst in Scandinavisch gebied gehouden: in Oslo, de hoofdstad van Noorwegen.
Hier werd een record gevestigd dat nog altijd in de boeken staat. In Noorwegen kwamen in het bergplaatsje Holmenkollen, dat iets ten noorden van de hoofdstad ligt, maar liefst honderdvijftigduizend mensen naar het skispringen kijken.
Mensen die de Spelen daar meegemaakt hebben, vertelden dat het er erg vrolijk aan toe ging en dat vooral de Noorse mensen heel vriendelijk met de buitenlandse deelnemers omgingen. Voor het eerst in de geschiedenis werden er door Nederlandse wintersporters

medailles gewonnen. Bij het schaatsen wonnen Wim van der Voort (op de 1500 meter) en Kees Broekman (op de 5 en de 10 kilometer) zilveren medailles.
De Noren waren wel eigenwijs geweest door het Olympische vuur niet uit het oude Griekenland te laten komen (wat wel gebruikelijk was en steeds door de gaststeden gedaan was), maar uit een klein stadje in Zuid-Noorwegen. Dat stadje heette Morgedal en daar was de uitvinder van de moderne ski geboren, de Noorse boer Sondre Norheim. Om hem te eren begon de Olympische estafette niet in Griekenland, maar gewoon in Noorwegen.
Vier jaar later, in het Italiaanse Cortina d'Ampezzo, gebeurden ook wat opmerkelijke dingen. Hoewel ook de Winterspelen niet 'commercieel' mochten zijn, waren er toch twee Italiaanse bedrijven die zich een beetje met de organisatie bemoeiden: Fiat (auto's) en Olivetti (schrijfmachines voor organisatie en journalisten). En er was vlak voor het begin van de Spelen helemaal geen sneeuw gevallen in het dal waar het dorpje aan gelegen

was. Er werden duizenden Italiaanse soldaten ingezet om van hoger gelegen bergen sneeuw aan te voeren zodat men toch kon skiën. Een dag voor de Spelen zouden beginnen, was men erin geslaagd zo veel sneeuw te verplaatsen dat de Spelen ook echt konden beginnen.

Die avond begon het echter geweldig te sneeuwen zodat al die soldaten de hele nacht en de volgende dag ingezet werden om de meters sneeuw weer op te ruimen. Nu hadden ze veel te veel!
Voor het eerst deden de Russen mee en ze wonnen meteen de meeste medailles. Rusland won ook het ijshockeytoernooi. Dat was een grote verrassing. Een van hun spelers heette Bobrov. Dezelfde man had vier jaar eerder aan de Spelen van Helsinki deelgenomen als voetballer!

Het openingsfeest van de Winterspelen van 1960 in het Amerikaanse dorpje Squaw Valley was georganiseerd door een toen nog niet zo bekende, maar nu wereldberoemde man: Walt Disney, de bedenker van heel veel tekenfilms, zoals *Donald Duck* en *Micky Mouse*.
Door een rekenfout van de organisatoren konden de bobsleekampioenschappen niet gehouden worden. Ze waren domweg nog niet klaar met het bouwen van de bobsleebaan. Dat was natuurlijk een schande voor het Amerikaans Olympisch Comité.
In 1964 gingen de Spelen terug naar Europa. Om precies te zijn naar Innsbruck in Oostenrijk, waar Sjoukje Dijkstra uit Amstelveen de gouden medaille bij het kunstrijden won.
Vier jaar later, 1968, was Grenoble aan de beurt.
Van die Spelen zagen we in Nederland rechtstreekse televisiebeelden (toen nog in zwart-wit) en konden we zien dat we behoorlijk goed waren in het schaatsen bij de vrouwen (Carrie Geijssen) en de mannen (Kees Verkerk).
Dit waren slordig georganiseerde Spelen, want de Fransen hadden er niet voor gezorgd dat de toeschouwers

er gemakkelijk konden komen. Heel veel mensen maakten lange reistijden omdat ze vaak moesten wachten en misten daardoor soms zelfs wedstrijden. Toen vier jaar later de Spelen voor het eerst in een Aziatisch land werden gehouden, was de organisatie veel beter. De Spelen van Sapporo werden de Spelen van Ard Schenk, de Nederlandse schaatser. Hij won drie gouden medailles. Op de 500 meter (niet zijn specialiteit) viel hij bij de start!
In Japan vond nog een rel plaats. De Oostenrijkse skiër Karl Schranz werd naar huis gestuurd omdat hij geld had verdiend met het maken van reclame. De Canadese ijshockeyploeg besloot helemaal niet te komen; zij mochten geen profs opstellen terwijl de Russen wel 'staatsamateurs' inzetten. Staatsamateurs zijn sportmensen die betaald werden door hun regering en dat was dus eigenlijk net zoiets als professionalisme.
Het IOC, met de heel strenge Amerikaan Avery Brundage aan het hoofd, gaf echter geen krimp: de Spelen waren er alleen voor amateurs. Na Sapporo werd ook Ard Schenk prof en ging hij voor geld schaatsen.

In 1976 was Schenk verslaggever voor de NOS-televisie toen de Spelen wederom in het Oostenrijkse Innsbruck plaatsvonden. Eigenlijk zouden de Spelen in Denver in Amerika georganiseerd worden, maar daar hadden ze geen geld genoeg en vonden mensen het geen goed idee een groot stadion te gaan bouwen op een plaats waar een mooi bos lag. Via een referendum, een soort stemming waarin de mensen in Denver zich uit mochten spreken, werd duidelijk dat ze de Spelen dus niet wilden hebben.

Innsbruck sprong in, ze hadden de faciliteiten nog en het werden vrij goede Spelen. Nederland was weer op dreef bij het schaatsen: Hans van Helden haalde drie medailles en Piet Kleine won goud op de tien kilometer. Later werd Kleine de beroemdste postbode van Nederland.
In het ijshockeytoernooi werd de Tsjechische topspeler Franticek Posposil betrapt op dopinggebruik. Rusland won daarmee de gouden medaille, omdat de Tsjechen straf kregen.
De Amerikaanse schaatser Eric Heiden, een van de grootste sportmensen ooit, was de held van de Spelen van Lake Placid in 1980. Hij won vijf gouden medailles op de vijf afstanden waar hij aan deelnam. Wat niet veel mensen weten, is dat hij zich bijna verslapen had voor de laatste afstand, de 10 kilometer. Hij werd veel te laat wakker, kon niet ontbijten, haalde net op tijd het schaatsstadion en won toch.
Aan deze Spelen deed het Nederlands ijshockeyteam mee en dat was best bijzonder. Wij zijn namelijk niet zo goed in ijshockey, maar door de komst van Nederlandse Canadezen hadden we ineens een sterke ploeg. Die Nederlandse Canadezen waren zonen of kleinzonen van Nederlanders die naar Canada waren geëmigreerd en die daar goed ijshockey (dat is immers de nationale sport van dat land) hadden leren spelen. Omdat ze nog een Nederlands paspoort hadden, mochten ze voor Oranje uitkomen.
Vier jaar later, in 1984, was de Nederlandse selectie in Sarajevo niet zo succesvol. Niemand haalde een medaille. Acht jaar later zou in deze stad een verschrikkelijke oorlog gevoerd worden. Het hotel waar de leden van het IOC toentertijd in sliepen, werd later helemaal aan flarden

geschoten. Honderden mensen vonden toen de dood en werden begraven in wat in 1984 het Olympisch Stadion was.

Sportief gezien was er een geweldig hoogtepunt: het Engelse kunstrijpaar Jayne Torvill en Christopher Dean won en haalde een perfecte score. Dat was nog nooit gebeurd. Ze dansten op muziek van de 'Boléro', een muziekstuk van de componist Ravel en ook een deuntje dat in die dagen door heel veel mensen herkend werd. In 1988 trok men naar Calgary in Canada waar de Haarlemse Yvonne van Gennip tot koningin van de

Spelen benoemd werd. De eigenlijk best wel eigenwijze schaatsster won drie gouden medailles en toen zij thuiskwam liepen zestigduizend mensen uit om haar te verwelkomen op de Grote Markt in haar woonplaats.
In Calgary werden voor het eerst ook wedstrijden voor gehandicapte wintersporters gehouden.
In 1992 werden de Spelen weer in Frankrijk georganiseerd, in Albertville ditmaal. Maar net als in Grenoble 1968 werden het weer ongezellige Spelen. Het weer werkte niet mee (het regende vaak en er lag geen sneeuw) en de Fransen hadden de diverse onderdelen zo ver uit elkaar gelegd dat je niet kon spreken van een echt Olympische stad. Voor Nederland was schaatsen heel belangrijk, Bart Veldkamp won er goud, maar voor de Fransen telde schaatsen helemaal niet. Na afloop van de Spelen werd de kunstijsbaan direct afgebroken. Wat moesten ze daar met zo'n ding?

Na die Spelen in Albertville nam het IOC een belangrijk besluit: de Winter- en Zomerspelen zouden niet meer in hetzelfde jaar plaatsvinden. Dat was niet goed voor de Spelen omdat er minder aandacht aan twee grote evenementen besteed kon worden. Dus werden de volgende Winterspelen slechts twee jaar na Albertville gehouden.
Ditmaal in Lillehammer, in Noorwegen. Het werden de beste Winterspelen ooit. Het was goed georganiseerd, er heerste een spontane en gezellige sfeer en het was leuk om bij aanwezig te zijn. Er waren heel wat sportieve helden: de Russische langlaufster Ljoebov Jegerova, de Noorse schaatser Johan Olav Koss (die de Nederlanders voortdurend aftroefde) en de Noorse skiër Björn Daehli.

Deze laatste werd een held in zijn eigen land. Vlak voor de Spelen werd zijn broer vermist. Daehli deed toch mee aan de Spelen terwijl grote groepen mensen in de wouden en ondergesneeuwde Noorse hoogten op zoek waren naar zijn broer. Na de Spelen werd die broer dood aangetroffen in een spelonk waar hij in was gevallen. Heel Noorwegen rouwde met de populaire langlaufer mee.
Het Olympisch circus kwam in 1998 voor de tweede maal naar een Japanse stad, nu naar Nagano. In de ijshal maakte Marianne Timmer naam door onverwachts tweemaal goud binnen te halen, op de 1000 en 1500 meter. In Japan speelden ook Canadese profs mee bij het ijshockeytoernooi, iets wat vroeger dus niet mocht. En er was ook een vrouwenijshockey-toernooi!
De laatste Winterspelen die we meegemaakt hebben dateren van 2002. De plaats van handeling was Salt Lake City in de Amerikaanse staat Utah. Door enorm strenge beveiligingsmaatregelen werden het geen vrolijke Spelen. De Amerikanen waren zo bang voor terroristische acties dat het in vliegtuigen naar Salt Lake City verboden was van je plaats op te staan als je op een uur vliegen van de stad gekomen was. Wie die regel overtrad werd gearresteerd.
Wij in Nederland keken naar de schaatswedstrijden die met Jochem Uytdehaage en Gerard van Velde erg succesvol waren. Schaatsster Gretha Smit won de zilveren medaille. Ze ging 's avonds dansen, maakte een gekke sprong en blesseerde zich ernstig aan haar knie. Doordat de Spelen in een Amerikaanse stad werden gehouden, was dat weer aanleiding voor veel

Amerikanen om met vlaggen te gaan zwaaien en heel chauvinistisch te zijn. Alsof alleen maar Amerika telde.

En dan was er die rel bij het kunstrijden op de schaats. Een Frans jurylid, een chique mevrouw, bleek niet helemaal eerlijk te zijn geweest, zodat twee dagen na de wedstrijden de Canadese rijders Jamie Sale en David Pelletier alsnog kregen waar ze recht op hadden: de gouden medaille, die ze overigens moesten delen met de Russen Elena Berezhaya en Anton Sikharuladze. Het was een rel van internationale grootte en dat was niet goed voor de sport.

De komende Winterspelen zullen in Turijn, in Italië, plaatsvinden. Die van 2010 worden gehouden in Vancouver, Canada.

# Paralympics

Als je zelf twee benen hebt en lekker kunt hardlopen en springen, is het heel gewoon dat je op voetbal of handbal gaat. Maar hoe moet dat nu als je maar één been hebt, omdat je bijvoorbeeld een auto-ongeluk gehad hebt en je been moest worden afgezet? Of als je met maar één arm geboren werd?
Kun je dan nog wel aan sport doen?
Ja hoor, dat kan best. Dat heet gehandicaptensport; we noemen het ook wel rolstoelsport of sport voor minder validen.
Je hebt misschien wel eens wedstrijden gezien van mensen die een handicap hebben. Dan zie je ineens iemand met één arm tennissen of met één been aan hoogspringen doen.
Al sinds 1948 wordt er aan sport voor gehandicapten gedaan. Voor het eerst gebeurde dat in het Engelse stadje Stoke Mendeville. De gedachte was om gewonde militairen aan sport te laten doen, want na de Tweede Wereldoorlog waren er nogal wat jonge mannen en vrouwen die een arm of been moesten missen. Ook voor die mensen moest het mogelijk zijn om aan sport op internationaal niveau te doen.
De grote voorvechter voor gehandicaptensport was sir Ludwig Guttman. Hij zorgde ervoor dat er belangrijke

wedstrijden werden georganiseerd. In Rome (1960) werden voor het eerst Olympische Spelen voor gehandicapten gehouden. Het was maar een klein toernooi, want er waren over de hele wereld nog niet zo veel gehandicapten die op een beetje niveau aan sport konden doen. Er deden toen vierhonderd atleten uit drieëntwintig landen mee. Tegenwoordig zijn de Paralympics, zoals ze officieel heten, heel groot: er doen meer dan vierduizend mensen mee.
Aan welke sporten moet je denken bij deze Spelen? Nou, aan rolstoelbasketbal, handboogschieten uit een rolstoel, zitvolleybal, tafeltennis uit een stoel en ook tennis. De bal mag dan twee keer stuiten. Overigens is Nederland heel goed in rolstoeltennis. Esther Vergeer is misschien wel de beste rolstoeltennisster ter wereld. Waar zij speelt, wint ze ook meestal.
Dan heb je nog atletiek: sprinten en middenafstand en ook lange afstand in een karretje of een stoel. Je ziet dan dat mensen die maar één been, verlamde benen of soms zelfs helemaal geen benen hebben, een enorme vaart kunnen maken met hun handen. Ze draaien de wielen van hun wagentje heel snel en halen een snelheid die je fietsend bijna niet bij kunt houden. Dat zijn allemaal mensen die heel sterk in hun armen zijn doordat ze veel met gewichten trainen. Eigenlijk net zoals mensen die 'gewoon' trainen.
Eerst waren de Paralympics voor mensen die alleen een lichamelijke handicap hadden. Tegenwoordig mogen er ook mensen meedoen die visueel gehandicapt zijn, oftewel blinden of slechtzienden. Zo lopen ze hard met behulp van een gids die ze toeschreeuwt waar ze op de baan lopen en hoeveel ze nog moeten afleggen tot de

finish. Er zijn blinde mensen die harder kunnen lopen dan negentig procent van de ziende mensen op deze wereld. Ook kom je het nummer wielrennen voor blinden tegen. Dat gaat samen met een ziende sporter. In Nederland hebben wij de blinde sporter Jan Mulder. Hij rijdt samen met Jeroen Straathof, de ex-schaatser die ooit wereldkampioen op de 1500 meter werd. Straathof zit voorop omdat hij kan zien en dus kan sturen; Mulder zit achterop en volgt in het tempo van Straathof. Dit duo won in Sydney de gouden medaille.
Er zijn ook sportlieden die geestelijk gehandicapt zijn. Dat zijn mensen die niet helemaal goed kunnen nadenken, maar die wel een gezond lichaam hebben. Ook voor hen staan de Paralympics open.
Voor gewone sportlieden is het kijken naar sport van gehandicapten altijd een beetje gek. Waarom? Omdat we het niet vaak op televisie zien, omdat we er een beetje bang voor zijn en misschien ook wel omdat we ons een beetje schamen.
We roepen al snel dat wij dat ook kunnen, maar vaak is dat niet zo. Gehandicapten trainen heel hard en laten vaak sport op hoog niveau zien. Je mag en moet het natuurlijk niet vergelijken met de sport van niet-gehandicapten. Maar als mensen die goed kunnen basketballen in een rolstoel gaan zitten en dan gaan spelen tegen gehandicapten, zullen de laatsten altijd winnen. Ze zijn veel handiger in hun wagentjes en kunnen daarin dingen doen die mensen zonder handicap niet eens weten of kunnen.
De Olympische Spelen voor gehandicapten hebben een keer plaatsgevonden in Nederland. Dat was in 1980 toen de Spelen voor niet-gehandicapten in Moskou werden

gehouden. De Russen konden echter geen organisatie bij elkaar krijgen voor sport in rolstoelen. Gek, voor zo'n groot land waar heel veel mensen een handicap hebben. Gelukkig werden de gehandicapte atleten toen heel goed in Arnhem ontvangen.
De Nederlandse Paralympicsploeg is best goed. In Atlanta, in 1996, kwam de ploeg met maar liefst vijfenveertig medailles naar huis. Vier jaar geleden in Sydney waren dat er wat minder: dertig stuks. In het medailleklassement eindigde Nederland toen als veertiende.

Ook in Athene zullen Paralympics worden gehouden. Die Spelen beginnen twee weken nadat de andere sportmensen Griekenland verlaten hebben. In veel sporthallen en stadions waar eerst de niet-gehandicapten hebben gesport, zullen dan hun gehandicapte collega's aan de slag gaan.
De *chef de mission* (dat is een chique benaming voor de hoogst verantwoordelijke) van de Nederlandse ploeg is de

gymnastieklerares Thea Limbach. Het leuke is dat ze ooit zelf aan de Olympische Winterspelen heeft deelgenomen. Vroeger was ze een goede schaatsenrijdster en nu begeleidt ze dus al die sporters die gehandicapt zijn. Opmerkelijk genoeg wordt er op de televisie niet zo veel aandacht besteed aan de Paralympics en ook lezen we er maar weinig over in de kranten. Vooral de gehandicapte sporters zelf vinden dat gek en zijn daar wel eens boos over. Waarom worden wij achtergesteld, hoor je ze vaak vragen.
Daar is geen goed antwoord op te geven. Misschien zijn mensen niet zo geïnteresseerd in wat de gehandicapte binnen zijn of haar sportleven allemaal kan omdat we het vergelijken met sportprestaties van niet-gehandicapten. En misschien vinden we het ook wel een beetje eng en gênant als we zien dat iemand zijn been aan- of afschroeft alvorens aan de wedstrijd te beginnen. Er is nog een reden, en het is vervelend om te zeggen, maar commercieel gezien is het volgen van invalidensport niet interessant. Televisieomroepen en kranten moeten er te veel voor investeren zonder dat ze hun geld ooit terug kunnen verdienen.
Die geringe media-aandacht zal altijd een gespreksonderwerp blijven tussen voor- en tegenstanders van minder valide sport. Met of zonder televisieaandacht: gehandicaptensport is belangrijk, vooral voor de deelnemers zelf. Het is net als bij de 'gewone' sport een belangrijke manier om je te uiten. De Nederlandse televisie zal straks zeker beelden uitzenden van de Paralympics in Athene.

# Stel dat...

Stel je hebt de Olympische limiet gehaald als je individueel aan sport doet, of je hebt je met je ploeg weten te plaatsen. Dan mag je dus naar de Olympische Spelen en dat is niet alleen hartstikke leuk, maar ook spannend en eervol.
Je behoort dan bij de, pakweg, tienduizend beste sportmensen van de wereld die naar de Spelen toe mogen en daar mag je best een beetje trots op zijn. Niet te veel natuurlijk, want dan gaan mensen van je zeggen dat je naast je schoenen loopt en dat is weer niet goed.

Je valt dan onder de leiding van de chef de mission van het NOC*NSF, zeg maar de aanvoerder van alle Nederlandse Olympische sporters. Dat is in alle voorgaande Spelen altijd een man geweest.
Je maakt dus deel uit van de Nederlandse ploeg en je foto en een paar belangrijke gegevens komen in het 'smoelenboek' te staan. Dat boekje wordt weggegeven aan onder anderen mensen van de nationale en internationale pers, zodat die weten wie welke sporter en sportster is.
De sportmensen worden vaak gevolgd met een camera of een microfoon, en na trainingen en wedstrijden wordt gevraagd hoe het ging en of ze goed in vorm zijn. Ze

moeten allerlei zaken uitleggen die in kranten, op de radio of de televisie komen. Sommige sportmensen kunnen heel makkelijk voor de camera praten, anderen hebben er moeite mee. Je hebt ook sporters die het helemaal niet kunnen; die raken een beetje in de war en weten niet goed wat ze moeten zeggen.
Tegenwoordig gaan er meer persmensen naar de Spelen dan sporters. Dat is eigenlijk wel vreemd, maar het geeft ook aan hoe belangrijk de Olympische Spelen zijn. Bij de NOS bijvoorbeeld zijn sommige mensen al maanden van tevoren bezig allerlei uitzendingen voor te bereiden.

*Stel je voor dat je 25 kilo weegt; net zoveel als bijvoorbeeld een televisietoestel. Dat was het gewicht van turnster Myong Hui Choe die voor Noord-Korea uitkwam op de Spelen van Moskou in 1980. De kleine vrouw was slechts 1,35 meter lang. Nooit deed een lichter iemand aan de Spelen mee.*
*De zwaarste vent van de Spelen was de dikbuikige Roemeense worstelaar Roman Codrean. Hij was zo dik dat hij zich niet goed kon bewegen. In de tweede ronde werd hij al uitgeschakeld. Hij woog 174 kilo!*

Iedere sporter die voor Nederland naar de Spelen gaat, krijgt een uitgebreid kledingpakket, waarin natuurlijk de kleur oranje veelvuldig voorkomt. Nederland heeft in de internationale sportwereld naam opgebouwd als oranjeland. Bij de Spelen kun je de Nederlandse ploeg altijd meteen herkennen aan de kleur van de kleding.
Toen de Nederlandse ploeg bij de Spelen van 1988 in Seoel het stadion binnen kwam, zette iedereen tegelijkertijd een grote oranje parasol op. De mensen in

het stadion vonden dat prachtig en verwelkomden de Nederlandse ploeg met een dik applaus.
Behalve sportkleren krijg je een broek en jas, of rok en jasje, om bij officiële gelegenheden aan te trekken. Bij de openings- en sluitingsceremonie moeten de sportlieden die kleren aan, voor de rest krijgen ze trainingsspullen, sportschoenen, slippers, petten, T-shirts en vrijetijdskleding.
Het is wel grappig om te weten dat het voor de Olympische kleermaker heel moeilijk is kleren in standaardmaten te maken. Neem bijvoorbeeld de judoka's. Dat zijn heel zware, breedgeschouderde jongens die niet in gewone jasjes passen. En wat te denken van de lange volleyballers of de kleine turnsters. Iedereen krijgt de kleding daarom op maat gemaakt. 
Alle spullen die je krijgt, inclusief de Olympische koffers en tassen, mag je als sporter houden.
Heel veel sporters bewaren die Olympische kleding voor de rest van hun leven.
Veel sportlieden reizen samen naar de Spelen. Ze worden opgehaald door speciale Olympische bussen waar alleen mensen in mogen die iets met de Spelen van doen hebben. Persmensen of familieleden van de sporters

mogen er niet in, die moeten voor eigen vervoer zorgen. Je krijgt als sporter meteen een accreditatie (een kaart die je altijd bij je moet hebben, zie ook blz. 103). Als je in het Olympisch dorp bent, moet je namelijk kunnen bewijzen dat jij sporter bent, vandaar die kaart om je nek.
In het Olympisch dorp worden de Nederlandse sportlieden bij elkaar gehuisvest. Dat gaat vaak ploeg per ploeg, dus de hockeyers bij elkaar en de hardlopers op een aparte gang en de wielrenners weer ergens anders. Vaak slaap je met zijn tweetjes op een kamer waar het geen grote luxe is. Maar je kunt er je kleren kwijt, er is een toilet en een douche en je kunt er rusten, kaarten, een boek lezen of lekker kletsen met anderen. Basketballers en volleyballers hebben trouwens recht op een extra lang bed in zo'n kamer, hoewel dat wel vooraf aangevraagd moet worden.

In het Olympisch dorp, waar geen buitenstaanders mogen komen, kun je als sporter de hele dag eten en drinken. Dat klinkt gek, maar de keukens zijn vierentwintig uur per dag open. Sommige sporters staan immers heel vroeg op om te gaan trainen en dan moet het ontbijt al vroeg klaarstaan. Anderen moeten misschien wel een wedstrijd in de avond spelen en dan is het natuurlijk prettig als ze ook midden in de nacht nog iets kunnen eten.
De keukens van de Spelen bieden alle voedsel die je je maar kunt wensen. Voor mensen uit Rusland, China, Brazilië en Noorwegen is er wat ze lekker vinden, er is patat, net zoals hamburgers, boterhammen met kaas en rauwe vis. Je kunt uit wel zevenendertig verschillende

maaltijden kiezen. De koks zijn er maandenlang mee bezig geweest om dit allemaal te organiseren. Je mag ook drinken wat je wilt, je hoeft helemaal niets te betalen. Als je je kaart zichtbaar draagt, mag je overal in en kun je ook naar de Olympische bioscoop gaan of naar de dancing.
Echt waar, alles is gratis. Ook de spelletjes die je kunt spelen op de vele Gameboys en apparaten die in aparte ruimtes staan.

*Chris Taylor was een Amerikaanse worstelaar die heel bekend werd tijdens de Spelen van München in 1972. Niet omdat hij zo goed kon worstelen, maar omdat hij met zijn bijna 170 kilo haast niet omver te duwen was. Na de Spelen ging hij aan een andere sport doen, professioneel catch. Hij leefde echter nog maar zeven jaar, want op negenentwintigjarige leeftijd stierf de grote, veel te zware man aan een hartaanval.*

Er zijn verschillende kerken in het dorp, er is een klein ziekenhuisje, er staan de hele dag doktoren klaar, er is politie en brandweer, er zijn gastvrouwen en tolken; er is een Olympische krant in diverse talen. Er wordt alles gedaan om het de sporter naar de zin te maken. Er zijn aparte winkeltjes om souvenirs te kopen, T-shirts van de Spelen, maar ook gewoon koekjes of kauwgum. Er is ook een Olympisch postkantoor, een kapper en een Olympische burgemeester. Je voelt je dus best wel een beetje speciaal als je dat allemaal meemaakt.
Om naar trainingen en wedstrijden te gaan, staan er bussen voor je klaar en die bussen worden begeleid door politiemensen op motoren. Olympische bussen hebben

altijd voorrang en rijden gewoon door rood, want tijdens de Spelen zijn de sportmensen de belangrijkste mensen van allemaal.
Olympische wedstrijden zijn ook wel een tikje spannender dan andere toernooien. Je kunt niet warmlopen of inzwemmen op de baan of in het bad waar de wedstrijden worden gehouden. Er zijn goede warming-upbanen in kleine stadions waar je eerst heen gaat. Pas daarna kom je het zwembad of het stadion binnen voor de echte wedstrijden. En vergeet niet dat de hele wereld naar je kijkt! Alles komt op televisie en mensen over de hele wereld zien jou bezig.
Na afloop van je wedstrijd word je in een ruimte gebracht die gemaakt is om de pers en de sporters samen te brengen. Dat heet de internationale zone. De sporters en persmensen zijn gescheiden door een hek en de sportmensen mogen zelf beslissen of ze willen praten met de pers. Als ze geen zin hebben (als ze bijvoorbeeld de pest in hebben na een nederlaag), kunnen ze zo doorlopen naar de bus die weer klaarstaat.
Er zijn wel sporters die direct nadat zij gesport hebben naar huis gaan. Ze vinden het misschien niet leuk in het Olympisch dorp, of ze zijn enorm teleurgesteld, of ze hebben gewoon weer andere verplichtingen. De meeste sporters echter wachten op het sluitingsfeest, als er in een grote polonaise door alle deelnemers feestgevierd wordt in het Olympisch Stadion, waarna er een geweldig slotvuurwerk vertoond wordt.
Na de Spelen reist vaak de hele Nederlandse ploeg terug naar huis. Misschien heb je die beelden wel eens gezien. Dan staan vrienden en familieleden op Schiphol te wachten met bloemen en spandoeken en dan wordt er

heel wat omhelsd. Degenen die gewonnen hebben gaan dan nog iets speciaals doen: ze mogen op bezoek bij de koningin en gaan daar een kopje thee drinken. De allerbesten krijgen dan van de koningin een lintje!

Pas daarna keren ze terug naar de eigen familie en begint het gewone leven weer.
Dan is er geen Olympische keuken meer, geen bussen die altijd klaarstaan, geen aparte status voor wie dan ook.
Dan is iedereen weer 'gewoon'. Pas dan wordt duidelijk hoe bijzonder het is om één of meerdere keren in je leven Olympische sporter te zijn geweest.
Dat is iets wat je je hele leven niet meer vergeet.

# De Zomerspelen in cijfers

| *Editie* | *Jaar* | *Plaats* |
|---|---|---|
| I | 1896 | Athene, Griekenland |
| II | 1900 | Parijs, Frankrijk |
| III | 1904 | St. Louis, Verenigde Staten |
| - | 1906 | Athene, Griekenland |
| IV | 1908 | Londen, Engeland |
| V | 1912 | Stockholm, Zweden |
| VI | 1916 | Berlijn, Duitsland |
| VII | 1920 | Antwerpen, België |
| VIII | 1924 | Parijs, Frankrijk |
| IX | 1928 | Amsterdam, Nederland |
| X | 1932 | Los Angeles, Verenigde Staten |
| XI | 1936 | Berlijn, Duitsland |
| XII | 1940 | Tokio, Japan |
| XIII | 1944 | Londen, Engeland |
| XIV | 1948 | Londen, Engeland |
| XV | 1952 | Helsinki, Finland |
| XVI | 1956 | Melbourne, Australië |
| XVII | 1960 | Rome, Italië |
| XVIII | 1964 | Tokio, Japan |
| XIX | 1968 | Mexico City, Mexico |
| XX | 1972 | München, West-Duitsland |
| XXI | 1976 | Montreal, Canada |
| XXII | 1980 | Moskou, Sovjet-Unie |
| XXIII | 1984 | Los Angeles, Verenigde Staten |
| XXIV | 1988 | Seoel, Zuid-Korea |
| XXV | 1992 | Barcelona, Spanje |
| XXVI | 1996 | Atlanta, Verenigde Staten |
| XXVII | 2000 | Sydney, Australië |
| | 2004 | Athene, Griekenland |

| *Datum* | *Landen* | *Atleten* | *Mannen* | *Vrouwen* |
|---|---|---|---|---|
| 6 - 15 april | 13 | 311 | 311 | 0 |
| 20 mei - 28 oktober | 22 | 1330 | 1318 | 12 |
| 1 juli - 23 november | 13 | 625 | 617 | 8 |
| 22 april - 2 mei | 20 | 884 | 877 | 7 |
| 27 april - 31 oktober | 22 | 2056 | 2020 | 36 |
| 5 mei - 22 juli | 28 | 2546 | 2491 | 55 |
| afgelast wegens Eerste Wereldoorlog | - | - | - | - |
| 20 april - 12 september | 29 | 2692 | 2628 | 64 |
| 4 mei - 17 juli | 44 | 3092 | 2956 | 136 |
| 17 mei - 12 augustus | 46 | 3014 | 2724 | 290 |
| 30 juli - 14 augustus | 37 | 1408 | 1281 | 127 |
| 1 - 16 augustus | 49 | 4066 | 3738 | 328 |
| afgelast wegens Tweede Wereldoorlog | - | - | - | - |
| afgelast wegens Tweede Wereldoorlog | - | - | - | - |
| 29 juli - 14 augustus | 59 | 4099 | 3714 | 385 |
| 19 juli - 3 augustus | 69 | 4925 | 4407 | 518 |
| 22 november - 8 december | 67 | 3184 | 2813 | 371 |
| 25 augustus - 11 september | 83 | 5346 | 4736 | 610 |
| 10 - 24 oktober | 93 | 5140 | 4457 | 683 |
| 17 - 27 oktober | 112 | 5530 | 4749 | 781 |
| 26 augustus - 10 september | 122 | 7156 | 6086 | 1070 |
| 17 juli - 1 augustus | 92 | 6085 | 4834 | 1251 |
| 19 juli - 3 augustus | 81 | 5326 | 4238 | 1088 |
| 28 juli - 12 augustus | 140 | 7078 | 5458 | 1620 |
| 17 september - 2 oktober | 160 | 9580 | 7104 | 2476 |
| 25 juli - 9 augustus | 169 | 9356 | 6652 | 2704 |
| 19 juli - 4 augustus | 197 | 10.318 | 6806 | 3512 |
| 15 september - 1 oktober | 199 | 10.651 | 6582 | 4069 |
| 13 - 29 augustus | - | - | - | - |

# De Winterspelen in cijfers

| *Editie* | *Jaar* | *Plaats* |
|---|---|---|
| I | 1924 | Chamonix, Frankrijk |
| II | 1928 | Sankt Moritz, Zwitserland |
| III | 1932 | Lake Placid, Verenigde Staten |
| IV | 1936 | Garmisch-Partenkirchen, Duitsland |
| - | 1940 | - |
| - | 1944 | - |
| V | 1948 | Sankt Moritz, Zwitserland |
| VI | 1952 | Oslo, Noorwegen |
| VII | 1956 | Cortina d'Ampezzo, Italië |
| VIII | 1960 | Squaw Valley, Verenigde Staten |
| IX | 1964 | Innsbruck, Oostenrijk |
| X | 1968 | Grenoble, Frankrijk |
| XI | 1972 | Sapporo, Japan |
| XII | 1976 | Innsbruck, Oostenrijk |
| XIII | 1980 | Lake Placid, Verenigde Staten |
| XIV | 1984 | Sarajevo, Joegoslavië |
| XV | 1988 | Calgary, Canada |
| XVI | 1990 | Albertville, Frankrijk |
| XVII | 1994 | Lillehammer, Noorwegen |
| XVIII | 1998 | Nagano, Japan |
| XIX | 2002 | Salt Lake City, Verenigde Staten |
| XX | 2006 | Turijn, Italië |

| *Datum* | *Landen* | *Atleten* | *Mannen* | *Vrouwen* |
|---|---|---|---|---|
| 25 januari - 5 februari | 16 | 258 | 247 | 11 |
| 11 - 19 februari | 25 | 464 | 438 | 26 |
| 4 - 15 februari | 17 | 252 | 231 | 21 |
| 6 - 16 februari | 28 | 646 | 566 | 80 |
| afgelast wegens Tweede Wereldoorlog | - | - | - | - |
| afgelast wegens Tweede Wereldoorlog | - | - | - | - |
| 30 januari - 8 februari | 28 | 669 | 592 | 77 |
| 14 - 25 februari | 30 | 694 | 585 | 109 |
| 26 januari - 5 februari | 32 | 821 | 687 | 134 |
| 18 - 28 februari | 30 | 665 | 521 | 144 |
| 29 januari - 9 februari | 36 | 1091 | 892 | 199 |
| 6 - 18 februari | 37 | 1158 | 947 | 211 |
| 3 - 13 februari | 35 | 1006 | 801 | 205 |
| 4 - 15 februari | 37 | 1123 | 892 | 231 |
| 13 - 24 februari | 37 | 1072 | 840 | 232 |
| 8 - 19 februari | 49 | 1272 | 998 | 274 |
| 13 - 28 februari | 57 | 1423 | 1122 | 301 |
| 8 - 23 februari | 64 | 1801 | 1313 | 488 |
| 12 - 27 februari | 67 | 1737 | 1215 | 512 |
| 7 - 22 februari | 72 | 2176 | 1389 | 787 |
| 8 - 24 februari | 77 | 2399 | 1513 | 886 |
| 10 - 26 februari | - | - | - | - |

# Persoonsnamenregister

# Trefwoordenregister

**vanaf 9 jaar**

**ISBN 90 00 6494 062 2**

**NUR 223**

Erwin Kroll

## Het weer – Notendop junior

Bijna niemand staat erbij stil dat het heel gewone Nederlandse weer heel bijzonder is om te zien en te beleven. Er zijn zo veel verschillen op één enkele dag al, dat bijna elke minuut uniek is. Een belevenis op zich. En het enige wat je hoeft te doen, is om je heen kijken naar wat er allemaal in de lucht gebeurt.

In deze eerste Notendop junior komen zonneschijn en stapelwolken, buien, lucht en onweer, mist en nevel, depressies, fronten en andere storingen aan de orde.
Met veel kennis en humor laat de beroemdste weerman van Nederland de lezers kennis maken met het oer-Hollandse weer.

vanaf 9 jaar

ISBN 90 00 6494 111 4

NUR 225

Hans van Maanen

# Het zonnestelsel – Notendop junior

De vader van Wouter en Daniël heeft voor zijn verjaardag een ruimtevaart langs de planeten gekregen - en de kinderen mogen mee! Samen met reisleider Sietse vliegen ze langs planeten en de maan. Onderweg vertelt Sietse honderduit; alles wat zijn passagiers willen weten over het zonnestelsel komt aan bod. Het is een adembenemende tocht, zoals die alleen in een echt sciencefictionboek mogelijk is.

In deze Notendop junior kom je alles te weten over de wonderlijkste hemellichamen die we kennen: de planeten van ons zonnestelsel. Dit boek gunt je een bijzondere blik op die vreemde werelden, waardoor sterren kijken nooit meer hetzelfde zal zijn.

**vanaf 9 jaar**

**ISBN 90 00 03560 0**

**NUR 225**

Margriet van der Heijden

# De kosmos – Notendop junior

Als je 's nachts bij helder weer naar de lucht kijkt, dan zie je een zee van sterren. Het lijkt alsof ze kriskras door elkaar staan, maar dat is niet waar. In de kosmos is geen chaos, er heerst orde. Alles heeft er een speciale plaats, ook al die elementen die wij met het blote oog niet kunnen zien. De Grieken wisten dat en noemden het heelal daarom de kosmos, wat 'ordening' betekent.
Over de ordening van al die miljoenen soorten sterren én de zwarte gaten, gaat dit boek. Er wordt een helder antwoord gegeven op vragen als: Hoe is de kosmos ontstaan? Is er leven in het heelal? Hoe heet is een ster? Houdt de zon ooit op met schijnen? En wat is het verschil tussen een ster en een planeet?